FRA[...]

Françoise Sagan, de son vrai nom Françoise
Quoirez, est née à Cajarc, dans le Lot. Sa carrière de
femme de Lettres commence en 1954 avec la
publication de *Bonjour tristesse*. Ce roman, en abor-
dant explicitement la sexualité féminine avec un
style désinvolte et mordant, provoque un véritable
scandale. Récompensé la même année par le prix
des Critiques, il devient l'emblème de toute la
génération d'après-guerre et propulse son auteur au
devant de la scène littéraire.
Son œuvre compte aujourd'hui une trentaine de
romans parmi lesquels *Aimez-vous Brahms...*, publié
en 1959 et porté à l'écran en 1963 par Anatole Litvak,
Les merveilleux nuages (1973), *Un orage immobile*
(1983), *Les faux-fuyants* (1991) ou encore *Le miroir
égaré* (1996).
Nouvelliste et auteur de théâtre, Françoise Sagan a
écrit une dizaine de pièces et une biographie de
Sarah Bernhardt publiée en 1987. Ce grand person-
nage de la scène culturelle française a également
écrit le scénario du *Landru* de Claude Chabrol.
Passionnée de sport automobile, l'auteur de *Bonjour
tristesse* a résidé de nombreuses années à Honfleur.
En 1985, elle a reçu pour l'ensemble de son œuvre,
le dix-neuvième prix de la Fondation du prince
Pierre de Monaco.
Françoise Sagan s'est éteinte le 24 septembre 2004
à l'âge de 69 ans.

LES MERVEILLEUX
NUAGES

FRANÇOISE SAGAN

LES MERVEILLEUX NUAGES

JULLIARD

Le papier de cet ouvrage est composé de fibres naturelles, renouvelables, recyclables et fabriquées à partir de bois provenant de forêts plantées et cultivées durablement pour la fabrication du papier.

Le Code de la propriété intellectuelle n'autorisant, aux termes de l'article L. 122-5 (2° et 3° a), d'une part, que les « copies ou reproductions strictement réservées à l'usage privé du copiste et non destinées à une utilisation collective » et, d'autre part, que les analyses et les courtes citations dans un but d'exemple et d'illustration, « toute représentation ou reproduction intégrale ou partielle faite sans le consentement de l'auteur ou de ses ayants droit ou ayants cause est illicite » (art. L. 122-4).
Cette représentation ou reproduction, par quelque procédé que ce soit, constituerait donc une contrefaçon sanctionnée par les articles L. 335-2 et suivants du Code de la propriété intellectuelle.

© René Julliard, 1961.

ISBN : 978-2-266-18999-6

À mon ami Philippe.

L'ÉTRANGER

« Qui aimes-tu le mieux, homme énigmatique, dis? Ton père, ta mère, ta sœur, ou ton frère?

– Je n'ai ni père, ni mère, ni sœur, ni frère.

– Tes amis?

– Vous vous servez là d'une parole dont le sens m'est resté jusqu'à ce jour inconnu.

– Ta patrie?

– J'ignore sous quelle latitude elle est située.

– La beauté?

– Je l'aimerais volontiers déesse et immortelle.

– L'or?

– Je le hais comme vous haïssez Dieu.

– Eh! Qu'aimes-tu donc, extraordinaire étranger?

– J'aime les nuages... les nuages qui passent... là-bas... là-bas... les merveilleux nuages! »

CHARLES BAUDELAIRE
(*Poèmes en prose*)

FLORIDE

I

Sur le ciel bleu cru de Key Largo, le palétuvier se détachait en noir, à contre-jour, et sa forme desséchée, stéréotypée n'évoquait en rien un arbre mais plutôt un insecte infernal. Josée soupira, referma les yeux. Les vrais arbres étaient loin, à présent, et surtout le peuplier de jadis, ce peuplier isolé, au bas d'un champ, près de la maison. Elle s'étendait dessous, les pieds contre le tronc, elle regardait les centaines de petites feuilles agitées par le vent, pliant ensemble et très haut, la tête de l'arbre, toujours sur le point de s'envoler, semblait-il, dans sa minceur. Elle avait quel âge, quatorze, quinze ans? Ou bien, elle s'appuyait contre lui, la tête entre les mains, la bouche contre l'écorce rugueuse, elle se chuchotait des promesses, elle respirait sa propre haleine dans ce trouble de l'adolescence, dans cet effroi du futur et dans cette assurance. Elle n'imaginait pas alors qu'elle pût quitter ce peuplier ni qu'en revenant là, dix ans plus tard, elle le trouverait coupé à ras, la cicatrice beige de la hache sur le tronc définitivement asséché.

« A quoi penses-tu?

– A un arbre.

– Quel arbre?

– Tu ne le connais pas », dit-elle et elle se mit à rire.

« Naturellement. »

Sans rouvrir les yeux, elle sentit en elle cette contraction qu'amenait toujours un certain ton dans la voix d'Alan.

« C'était un peuplier, j'avais huit ans. »

En même temps, elle se demanda pourquoi elle se rajeunissait dans son souvenir. Peut-être parce qu'en s'éloignant ainsi dans le temps, elle avait l'impression qu'Alan diminuerait de quelques degrés sa jalousie. Non, à huit ans, il ne pouvait lui demander : « Qui aimais-tu? »

Il y eut un silence. Mais il était réveillé, elle le sentait réfléchir auprès d'elle et sa torpeur de tout à l'heure avait fait place à une attention crispée. Elle sentait la toile de la chaise longue contre son dos et la goutte de sueur sur sa nuque n'en finissait pas de couler.

« Pourquoi m'as-tu épousé? demanda-t-il.

– Parce que je t'aimais.

– Et maintenant?

– Je t'aime encore.

– Pourquoi? »

C'était le début. Ces trois phrases étaient comme les trois coups au théâtre. Une sorte de convention qu'ils finissaient par observer tacitement avant qu'il ne se mette à se déchirer lui-même.

« Alan, gémit-elle, pas maintenant.

– Pourquoi m'as-tu aimé?

– Je te prenais pour un Américain bien tranquille. Je te l'ai dit cent fois, et je te trouvais beau.

– Et maintenant?

– Je te prends pour un Américain pas tranquille et tu es toujours beau.

– L'Américain plein de complexes, hein? Ma maman, trop de dollars...

– Oui, oui, j'ai épousé une image; c'est ce que tu veux que je dise?

– Je veux que tu m'aimes.

– Je t'aime.

– Non. »

« Que les autres reviennent, pensa-t-elle, qu'ils reviennent vite. On n'a pas idée de pêcher par une chaleur pareille. Il boira un peu trop, il conduira trop vite, il dormira comme un plomb. Il dormira contre moi, en m'écrasant, je l'aimerai encore un peu pendant une heure peut-être, dans son abandon. Demain matin, il me racontera les rêves atro-

13

ces qu'il aura faits. Son imagination est prodigieuse. »

Elle se redressa et regarda le ponton blanc. Aucune silhouette en vue. Elle retomba dans son fauteuil.

« Ils ne sont pas encore là, dit la voix sardonique. Dommage. Tu t'ennuies, non? »

Elle tourna la tête vers lui. Il la fixait. Il avait vraiment l'air d'un jeune héros de western. Les yeux clairs, la peau tannée, l'air franc. La simplicité même apparemment. Alan. Oui, elle l'avait aimé. Et elle l'aimait toujours un peu quand elle le regardait vraiment. Mais de plus en plus elle détournait les yeux.

« Alors? On continue?

— Ça t'amuse?

— Quel effet ça t'a fait quand je t'ai demandé de m'épouser?

— Ça m'a fait plaisir.

— C'est tout?

— J'ai eu l'impression d'être sauvée. Je... j'étais fatiguée, tu le sais bien.

— Fatiguée... par qui?

— Par l'Europe.

— Qui en Europe?

— Je te l'ai raconté.

— Répète. »

« Je m'en irai, pensa Josée, brusquement. Il faut que je le sache. Je m'en irai. Il fera ce qu'il voudra. Il se tuera s'il veut. Il l'a assez dit. Son

14

psychiatre à la noix l'a assez dit. Et sa mère. Eh bien, qu'il se tue. Qu'il devienne fou comme son maudit père. Qu'ils mènent tous à bout leurs stupides histoires d'alcooliques. Vive la France et Benjamin Constant. »

Mais en même temps, à imaginer Alan mort, lui qui s'y attendait tellement, une sorte de nausée lui venait : « Le premier prétexte sera le bon, je ne veux pas être ce prétexte. »

« C'est du chantage, dit-elle.

— Hé oui. Je sais à quoi tu penses.

— Je ne peux pas t'estimer, tant que tu exerces ce genre de chantage sur moi, dit-elle faiblement.

— Que veux-tu que ça me fasse ?

— Rien, en effet. »

Il se moquait bien de son estime. D'ailleurs elle s'estimait trop peu elle-même pour que cela devienne contagieux : elle se contentait d'un rôle de garde-fou. A vingt-sept ans. Il y avait encore trois ans, elle était à Paris, elle vivait seule ou avec qui lui plaisait, elle respirait. A présent, elle transpirait dans ce décor de carton-pâte près d'un jeune époux névrosé qui ne savait pas lui-même ce qu'il attendait d'elle. Elle se mit à rire. Il se redressa, les yeux plissés. Il n'aimait pas qu'elle rît dans ces moments-là bien qu'il eût parfois un assez grand sens de l'humour.

« Ne ris pas ainsi. »

Mais elle continua, doucement, avec une sorte de tendresse. Elle pensait à son appartement de Paris, aux rues, la nuit, aux années folles. Alan se leva.

« Tu n'as pas soif? Tu vas prendre un coup de soleil, mon chéri. Veux-tu que j'aille te chercher une orange pressée? »

Il s'agenouillait près d'elle, il posait la tête sur son bras, il la regardait. C'était sa seconde arme : quand elle échappait à sa jalousie, il devenait tendre. Elle dessina de la main le visage régulier, la bouche ferme, les yeux allongés, se demanda une fois de plus ce qui rendait inutile toute la virilité tranquille de ce visage.

« Va plutôt me chercher un Bacardi », dit-elle.

Il sourit. Il aimait boire et il aimait qu'elle boive avec lui. On l'avait mise en garde contre ça aussi. Mais bien qu'elle n'aimât pas spécialement l'alcool, elle avait par moments envie de s'enivrer jusqu'à la fin de ses jours.

« Alors, deux Bacardi », dit-il.

Il lui baisa la main. Une Américaine à cheveux blancs et short fleuri leur jeta un regard attendri. Mais Josée ne lui sourit pas. Elle regardait partir Alan, de sa belle démarche d'homme gâté par la vie, et comme chaque fois qu'il s'éloignait une sorte de tristesse l'envahit. « Je ne l'aime pourtant plus », murmura-t-elle et elle replia son bras devant son visage vivement comme si le soleil même pouvait lui infliger un démenti.

Quand les autres revinrent, ils les trouvèrent allongés dans le sable, la tête de Josée sur l'épaule d'Alan et parlant de littérature avec passion. Quelques verres traînaient près d'eux et Brandon Kinnel les désigna du regard à sa femme. Eve Kinnel était intelligente et laide, les deux sans agressivité. Elle aimait bien Josée et, comme Brandon, redoutait Alan. D'ailleurs les Kinnel s'entendaient sur tout, partageaient tout, sauf, bien sûr, le sentiment désespéré et secret que Brandon vouait à Josée.

« Quelle journée! dit Eve. Trois heures en mer pour un malheureux barracuda...

– Pourquoi parcourir les mers? dit Alan. Le bonheur est sur la plage. »

Il embrassa les cheveux de Josée. Elle leva les yeux, vit le regard de Brandon sur les verres vides, et l'envoya mentalement au diable. Elle avait passé une heure douce, très gaie, le paysage était superbe, Alan brillant et détendu; qu'importait que quelques Bacardi y aient contribué? Elle posa la main sur la jambe dorée de son mari.

« Le bonheur est sur la plage », répéta-t-elle.

Brandon détourna les yeux. « Je l'ai blessé, pensa-t-elle, au fond il doit m'aimer. C'est drôle, je n'y pensais pas. » Elle lui tendit la main.

« Aidez-moi à me lever, Brandon, le soleil m'a étourdie. »

Elle avait appuyé sur le « soleil ». Il lui tendit la main. Bien des gens s'étaient demandé pourquoi Brandon Kinnel qui ressemblait à un boucanier distrait avait épousé Eve qui ressemblait à une fourmi. Il y avait deux raisons : elle était intelligente et il était timide. Il releva donc Josée, qui trébucha et se retint à lui.

« Et moi, Eve, gémit Alan, vous allez me laisser tout seul sur la plage toute la nuit? Vous voyez bien que je suis aussi ivre que Josée. Car nous sommes ivres. Ne vous a-t-elle pas dit que nous étions heureux? »

Il restait dans le sable, il les contemplait avec un petit sourire. Josée lâcha le bras de Brandon, puis le reprit fermement.

« Si tu ne peux pas boire deux verres, c'est ton affaire. Moi, je suis sobre et de plus j'ai faim. Je vais dîner avec Brandon. »

Elle fit demi-tour, oubliant Eve. Pour la première fois depuis un an, elle pensait qu'il y avait d'autres hommes qu'Alan sur la terre.

« Il est trop maladroit, pensa-t-elle tout haut. Il gâche tout.

— Vous devriez le quitter, dit Brandon.

— Ce serait une loque, enfin, je veux dire...

— C'est une loque, déjà.

– Je sais.

– Mais il est séduisant, c'est ça? »

Elle ouvrit la bouche pour protester puis haussa les épaules.

« C'est peut-être ça, en effet. »

Ils se dirigeaient vers le restaurant, à petits pas. Brandon sentait la main de Josée sur son bras, il se demandait s'il ne devrait pas le retirer avant le restaurant tant il le tenait gauchement, paralysé par une sorte de crampe.

« Je n'aime pas que vous buviez », dit-il.

Il parlait trop fort, avec trop d'autorité. Il s'en rendait compte. Josée releva la tête.

« La mère d'Alan non plus n'aime pas qu'il boive. Et moi non plus. Mais vous, qu'est-ce que ça peut vous faire? »

Il dégagea son bras avec un soulagement résigné. Pour une fois qu'il pouvait parler seul deux minutes avec elle, il fallait qu'il la vexe.

« Ça ne me regarde pas. »

Elle tourna la tête vers lui. Il marchait les bras ballants, il avait un visage honnête, rassurant. Elle avait cru épouser un homme comme lui. Elle lui sourit.

« Vous avez raison, Brandon. Excusez-moi. mais vous parlez toujours « santé ». Ce n'est pas un raisonnement européen. Voyez-vous, je vis avec Alan. Je ne peux pas me dire : « Il faut le quitter », comme : « Il faut me faire enlever l'appendice. »

– Pourtant, il le faut, Josée, si vous avez besoin de moi, un jour...

– Je sais, merci. Vous êtes très bons, Eve et vous.

– Pas seulement Eve et moi. Mais moi tout seul. »

Il était écarlate. Josée ne répondit pas. A Paris, elle avait bien aimé jouer pourtant avec certains hommes. « J'ai vieilli », pensa-t-elle. Le restaurant était plein. Sur la plage, loin derrière eux, les silhouettes d'Alan et d'Eve les suivaient lentement.

A nouveau, ils étaient seuls, chez eux. Le bungalow était constitué de trois pièces fort longues, en bambous clairs, décorés de masques nègres, d'objets de paille et de harpons, bref de tout ce qui correspondait aux notions exotiques de la mère d'Alan. De ce dernier, et bien qu'il y eût habité seul fort longtemps, il n'y avait rien. Les disques, les livres, ils les avaient apportés ensemble de New York. Elle n'avait jamais connu d'homme que son passé intéressât si peu. Il ne se voyait que par rapport à elle et dans un rapport si systématique de persécuteur qu'elle avait parfois envie d'en rire. En fait, il poussait si loin la stylisation de leurs relations et si loin la désaffection de lui-même que le vertige la prenait parfois comme devant certaines mauvaises pièces de théâtre ou devant certains films prétentieux. Mauvaise pièce, mauvais film mais dont l'auteur ambitieux était son mari et elle ne pouvait s'empêcher de gémir avec lui devant son inévitable échec.

Il marchait de long en large devant elle, toutes les fenêtres ouvertes, et l'air chaud de la Floride leur effleurait parfois le visage, odeur douceâtre et lointaine, mélange de mer, d'essence et de chaleur têtue. Elle le regardait marcher en se disant qu'elle n'avait jamais participé si peu à un décor et même à une vie. Et jamais non plus été si sensible – comme écorchée – à quelqu'un.

« Brandon est amoureux de toi », dit-il enfin.

Elle sourit. Il voyait toujours tout en même temps qu'elle. Deux jours plus tôt, elle eût ri de sa phrase et l'eût taxée d'obsession. Deux jours plus tard, d'aveuglement. En même temps, elle savait qu'elle ne pouvait pas plaisanter avec lui de cet état de choses comme avec n'importe quel homme.

« Quels sont les atouts de Brandon? » demanda-t-il rêveusement, et il s'arrêta de marcher, s'appuya à la fenêtre.

« Nuls, dit-elle.

– Voyons..., reprit-il. Il est bel homme, solide, rassurant... Il est le seul homme possible à Key Largo en ce moment. Sa femme est intelligente et sait se tenir. Et je l'imagine très bien me mettant knock-out si je t'insultais. Tu sais : le parfait gentleman : « Il y a des choses, mon « cher, qu'un homme ne doit pas souffrir et Lady « Josée, au-dessus de tout soupçon... », etc.

Il se mit à rire.

« Tu ne dis rien. La scène te paraît inimaginable ?

– Non. Rien ne me paraît inimaginable.

– Même de coucher avec lui ?

– Non. Mais ça ne me paraît pas désirable non plus.

– Ça viendra, va. »

Il se décolla de la fenêtre et elle remarqua une fois de plus son goût du théâtre. Il s'adossait pour certaines répliques, repartait à la fin de la scène, semblait toujours sanctionner ses phrases par des mouvements. Pour sa part, elle était allongée sur un divan de toile, les mains jointes au-dessus de sa tête, les yeux mi-clos. Elle avait sommeil et se demandait en même temps combien de temps elle pourrait supporter cela. Non sans un secret amusement. Pour la première fois, aujourd'hui, elle s'était formulé sa décision : « Je dois sortir de là. »

« Quel que soit l'ennui que te procure Brandon, tu n'aurais pas dû le dissimuler à ce point-là, reprit Alan. Tu l'as embarqué sur la plage de belle manière, laissant cette pauvre

22

Eve seule avec moi. Elle vous a suivi d'un regard plus que mélancolique.

– Je n'y ai pas pensé. Tu crois... »

Elle allait dire : « Tu crois que je l'ai blessée ? » mais s'arrêta. De toute façon, il dirait « oui ». Il ne visait qu'à développer chez elle un sentiment de culpabilité. Brusquement une sorte de colère la submergea :

« Je ne l'ai pas blessée. Eve a confiance en moi. Brandon aussi. Ils ne s'imaginent pas, eux, que je vis sur le dos, les bras en croix, à attendre un mâle. Ils sont normaux.

– Tu veux dire que je ne le suis pas ?

– Tu le sais assez ; tu en es assez fier, non ? Tu dorlotes tes petites névroses à longueur de jour. Tu serais désespéré de mettre les pieds sur terre et de te conduire comme un homme... »

« Mon Dieu, pensait-elle en même temps, je lui parle comme le *Reader's Digest*. Mon Dieu, moi qui ai horreur du bon sens, je lui tiens les discours d'un père de famille. Il finira par me rendre ennuyeuse. D'ailleurs il est ravi. »

Il s'approchait d'elle, en effet, et en souriant.

« Tu te rappelles, Josée, ce que tu m'as dit un jour : « Les gens sont comme ils sont, je n'ai « jamais voulu changer personne, personne n'a « le droit de dire un mot sur personne. » Tu te « rappelles ? »

23

Il était assis près d'elle et il parlait tout doucement, à ce point qu'elle ne savait plus s'il répétait ses mots comme une sorte d'évangile dont dépendait son bonheur, ou pour la confondre. Elle avait la gorge serrée. Oui, elle avait dit ça un jour d'hiver, à New York. Elle avait parlé une heure avec la mère d'Alan, et elle était sortie avec lui pleine de pitié, de tendresse et de beaux principes. Ils avaient marché une heure dans Central Park et il semblait si éperdu, si confiant en elle...

« Oui, dit-elle, j'ai dit ça. Et je le pensais. Et je le pense encore. Alan, dit-elle plus bas, tu ne m'aides pas.

— Tu me trouves méchant?

— Oui. »

Et elle ferma les yeux. Elle avait gagné, il lui avait fait dire qu'il la faisait souffrir, c'était bien ce qu'il voulait : l'atteindre. N'importe comment. Il la prit dans ses bras, la souleva, puis la laissa retomber, s'allongea contre elle et enfouit sa tête dans son épaule. Il murmurait son nom d'une voix suppliante, il la caressait, il eût aimé qu'elle pleure. Mais elle ne pleurait pas. Alors il la prit à moitié habillée, et lui en voulut presque du plaisir qu'ils partagèrent. Plus tard, il acheva de la déshabiller et la transporta endormie dans leur chambre. Il s'endormit en lui tenant la main, convulsivement. Elle le trouva en travers de son lit, le lendemain matin, il ne s'était pas couché.

« Etrange paysage d'un dormeur... La main ouverte sur le drap, le visage détourné, les jambes repliées contre le buste. Comment appelle-t-on ça, déjà? La position du fœtus. Alan regrettait-il sa mère, son insupportable mère? Quelle drôle d'idée. Freud avait-il prévu la mère d'Alan? (Elle se mit à rire, tendit la main vers la carafe d'eau.) Je hais le Bacardi. Je hais cette eau stérilisée, fade, qui me coule dans la gorge. Je hais cette fenêtre fermée et cet air climatisé. Je hais le bambou et les fétiches nègres à deux dollars. Je hais les voyages, et les paysages tropicaux. Est-ce que je hais cet étranger qui dort en travers de mon lit?

« Il est beau. Son flanc est long, plat, un flanc de jeune homme mince. Son flanc est doux sous mes lèvres, je ne hais pas ce jeune homme. Je bouge un peu la tête et l'étranger gémit, se réveille sous ma bouche avant de se réveiller complètement. Ce n'est plus de déchirement d'échapper au sommeil qu'il gémit à présent, mais de plaisir. Ses jambes sont étendues, il a quitté sa mère, retrouvé sa maîtresse. « Mère des souvenirs, maîtresse des maîtresses... » Verlaine, Baudelaire...? Je ne le saurai pas maintenant. Il m'a prise par la nuque, il m'a retournée. Il me fait glisser vers lui, il dit

25

mon nom, c'est vrai, je m'appelle Josée et lui
Alan. Il n'est pas possible que cela ne veuille
rien dire, Alan, il n'est pas possible qu'après
tout redevienne pareil, il n'est pas possible que
je puisse dire un autre prénom que le tien. »

II

« Tu oublies ton chapeau. »

Il fit un geste d'insouciance. La voiture ronflait déjà, ronronnait plutôt. C'était une vieille Chevrolet grenat. Alan n'avait aucun goût pour les voitures de sport.

« Il va faire une chaleur folle, insista Josée.

– Monte. Brandon me passera le sien. Il a le crâne dur. »

Il ne parlait plus que de Brandon, il ne voyait plus que les Kinnel. C'était le nouveau jeu d'Alan. Il prenait l'air du spectateur impuissant devant une grande passion, appelait Eve « ma pauvre compagne d'infortune » et souriait avec ostentation quand Brandon adressait la parole à Josée. La situation devenait doucement insupportable malgré les efforts conjugués de Josée et des Kinnel pour la transformer en plaisanterie. Elle avait tout essayé, la colère, le flegme, la prière. Elle était même restée seule, refusant de les voir, mais Alan avait passé l'après-midi en face d'elle, à boire et lui vanter les charmes de Brandon.

Ce jour-là, ils devaient partir pêcher ensemble. Josée avait mal dormi et attendait avec une sorte de délectation le moment où Brandon, Eve ou elle-même éclaterait. Avec un peu de chance, ce serait le jour même.

Les Kinnel étaient sur le ponton, l'air accablé, comme d'habitude, depuis une semaine. Eve avait un panier de sandwiches à la main et leur fit un geste qui se voulait joyeux de sa main libre. Brandon sourit faiblement. Le gros chriscraft se balançait mollement dans le petit port, le marin attendait.

C'est alors qu'Alan trébucha et porta la main à sa nuque. Brandon fit un pas et lui prit le bras :

« Qu'avez-vous ?

— Le soleil, dit Alan. J'aurais dû prendre mon chapeau. Je ne me sens pas bien. »

Il s'assit sur une borne, la tête baissée. Les autres se regardèrent, indécis.

« Si tu ne te sens pas bien, dit Josée, on va rester ici. Ce serait idiot, avec ce soleil, de partir en mer.

— Non, non, tu adores la pêche. Pars avec eux.

— Je vais vous reconduire chez vous, au

moins, dit Brandon. Vous devez avoir une petite insolation, il vaut mieux ne pas conduire.

– Vous perdriez une heure. Et vous êtes un fin pêcheur. Non, le mieux serait qu'Eve, que la pêche assomme, me reconduise. Elle me soignerait et me ferait la lecture. »

Il y eut un silence. Brandon détourna la tête et Eve, qui le regardait, crut le comprendre.

« C'est la meilleure idée. Je suis dégoûtée des requins et autres poissons. Et puis vous serez vite revenus. »

Sa voix était calme et Josée, qui allait protester, se tut. Mais elle était hors d'elle. « C'est ce qu'il voulait, ce petit idiot. Et sans risques... il sait bien que le bateau fait quatre mètres et qu'il y a un marin. Et Eve qui prend l'air effacé et Brandon qui rougit... Mais que cherche-t-il à la fin? » Elle fit volte-face et monta sur la passerelle.

« Eve, tu es sûre..., hasarda Brandon.

– Mais bien sûr, chéri. Je ramène Alan. Bonne pêche, n'allez pas trop au large, la mer se lève. »

Le marin sifflotait impatiemment. Brandon embarqua à contrecœur et s'accouda à la rambarde, près de Josée. Alan avait relevé la tête et les regardait; il semblait fort bien et souriait. Le bateau quittait doucement le quai.

« Brandon, dit soudain Josée, sautez. Sautez à terre, tout de suite. »

Il la regarda, regarda le quai à un mètre déjà et sauta d'un bond par-dessus la rambarde, glissa, se rétablit. Eve poussa un cri.

« Alors quoi, dit le marin.

— On part », dit Josée sans se retourner.

Elle regardait Alan dans les yeux. Brandon était sur le quai, il s'époussetait nerveusement. Alan ne souriait plus. Elle quitta la rambarde et s'assit à l'avant du bateau. La mer était superbe et elle était seule. Elle ne s'était pas sentie aussi bien depuis longtemps.

Naturellement le panier était resté à quai et elle partagea la nourriture du marin. La pêche avait été bonne. Deux barracudas avaient été pris, après une demi-heure d'efforts chacun, et elle était épuisée, affamée et ravie. Le marin se nourrissait apparemment d'anchois et de tomates et ils avaient plaisanté ensemble sur l'intérêt qu'aurait eu un énorme steak. Il était très grand, un peu dégingandé, complètement brûlé, avec des yeux de cocker.

Le ciel se couvrait, la mer devenait houleuse et ils étaient à l'autre bout des Keys quand ils décidèrent de rentrer. Il mit une ligne à la mer et Josée s'assit dans le fauteuil de pêche. La sueur coulait sur leur corps sans arrêt, ils regardaient la mer chacun de son côté sans plus parler. A un moment un poisson attaqua, elle ferra trop tard et elle ramena un hameçon vide. Elle appela le marin pour qu'il lui donne un autre appât.

« Mon nom est Ricardo, dit-il.

– Moi, Josée.

– Française, hein?

– Oui.

– Et l'homme sur le quai? »

Il disait « l'homme », il ne disait pas « votre mari ». Key Largo était une île à aventures sans doute. Elle se mit à rire.

« Il est Américain.

– Il n'est pas venu?

– Non. Insolation. »

Ils n'avaient pas parlé de leur bizarre départ depuis le matin. Il avait baissé la tête, ses cheveux étaient plantés en brosse, très drus. Il accrocha un appât à l'énorme hameçon, très vite. Puis il alluma une cigarette et la lui tendit. Elle aimait bien cette familiarité et cette tranquillité des rapports dans ce pays-là.

« Vous aimez pêcher seule?

– J'aime bien être seule de temps en temps.

– Moi, je suis seul tout le temps. J'aime mieux. »

Il était derrière elle. Elle pensa vaguement qu'il avait dû fixer la barre et que ce n'était pas très prudent par cette mer.

« Vous avez chaud », dit-il encore et il posa sa main sur l'épaule de Josée.

Elle se retourna. Il la regardait tranquillement de ses yeux pensifs de chien, sans menace mais sans équivoque. Elle regarda la main qu'il avait posée sur elle, elle était grande, carrée, pas soignée. Son cœur se mit à battre. Ce qui la troublait, c'était ce regard tranquille, attentif, sans aucune gêne. « Si je lui dis d'enlever sa main, il l'enlèvera et ce sera fini. » Elle avait la bouche sèche :

« J'ai soif », dit-elle faiblement.

Il la prit par la main. Il y avait deux marches entre le pont et la cabine. Les draps étaient propres et Ricardo très brutal. Après, ils trouvèrent un malheureux poisson accroché à la ligne et Ricardo se mit à rire comme un enfant.

« Le pauvre... on ne s'occupait pas de lui, pourtant... »

Son rire était contagieux et elle se mit à rire avec lui. Il la tenait par les épaules, elle était de bonne humeur et ne se disait pas que c'était la première fois qu'elle trompait Alan.

« Les poissons sont aussi idiots en France ? dit Ricardo.

— Non. Ils sont plus petits et plus malins.

— Je voudrais aller en France. Et voir Paris.

— La tour Eiffel, hein ?

32

– Et les Françaises. Je vais remettre le moteur en marche. »

Ils rentrèrent doucement. La mer était calmée, le ciel de ce rose vénéneux que lui donnent les orages avortés. Ricardo tenait la barre et de temps en temps se retournait pour lui sourire.

« De ma vie, il ne m'est arrivé ce genre de choses », pensait Josée, et elle lui rendait son sourire. Avant d'arriver, il lui demanda si elle reviendrait pêcher et elle lui dit que non, qu'elle allait partir bientôt. Il resta un moment sur le pont et elle se retourna une fois.

Au débarcadère, on lui apprit que son mari et M. et Mme Kinnel l'attendaient au bar du Sam's. La Chevrolet était restée là. Elle les rejoignit, après s'être douchée et changée. Dans la glace, il lui sembla avoir rajeuni de dix ans et retrouvé son visage de Paris certains jours, mi-gêné, mi-malicieux. « Femme excédée, femme facile », dit-elle à la glace. C'était un vieil adage de son ami le plus cher, Bernard P.

Ils l'accueillirent dans un silence poli, les deux hommes se levant un peu trop précipitamment, et Eve lui décochant un demi-sourire. Ils avaient passé l'après-midi à jouer aux cartes et avaient dû s'ennuyer. Elle parla de ses deux barracudas, fut félicitée et le silence tomba. Elle ne chercha pas à le rompre. Assise

33

sur sa chaise, les yeux baissés, elle regardait leurs mains et comptait leurs doigts machinalement. Quand elle s'en aperçut, elle éclata de rire. Ils sursautèrent.

« Qu'est-ce qui te prend?

— Rien, je comptais vos doigts.

— Au moins, tu es revenue gaie. Alors que Brandon a été triste comme le nuit tout le temps.

— Brandon? » dit-elle. Elle avait oublié le jeu d'Alan. « Brandon? Pourquoi?

— Tu l'as fait sauter du bateau. Tu ne te rappelles pas? »

Ils avaient tous les trois, curieusement, l'air vexé.

« Si, bien sûr. En fait, je ne voulais pas qu'Eve passe la journée en tête-à-tête avec toi. On ne sait jamais.

— Tu renverses les rôles, dit Alan.

— Nous sommes quatre, dit-elle gaiement, ça peut faire deux diagonales. N'est-ce pas, Eve? »

Elle la regarda sans répondre, interloquée.

« Et même si, fou de jalousie, tu ne t'étais pas intéressé à Eve, uniquement obsédé par l'image de Brandon et moi pêchant amoureusement ensemble de petits poissons, elle se serait horriblement ennuyée. Aussi j'ai renvoyé Brandon. Voilà. Qu'est-ce qu'on mange? »

Brandon écrasait nerveusement sa cigarette.

Il n'avait pas aimé qu'elle ridiculise, même abstraitement, la merveilleuse journée qu'ils auraient pu passer ensemble. Une seconde, elle eut pitié de lui mais elle était lancée.

« Tes plaisanteries sont d'un goût charmant, dit Alan. J'espère qu'Eve les trouvera drôles.

– J'en ai une très drôle, dit Josée, qui vous fera beaucoup rire, mais au dessert. »

Elle n'essayait plus de se contrôler. Elle retrouvait cette joie, ce goût de la violence et de l'irréparable qui l'avaient si longtemps caractérisée. Elle sentait en elle naître ce rire intérieur, cette insouciance parfaite, cette liberté qu'elle avait oubliés. Elle se leva et se dirigea vers la cuisine.

Ils dînèrent dans un silence lourd, uniquement coupé des plaisanteries de Josée, de ses récits de voyages et de ses considérations gastronomiques. Les Kinnel finirent par rire avec elle. Seul Alan se taisait et la regardait fixement. Il buvait beaucoup.

« Voici le dessert », dit tout à coup Josée, et elle pâlit.

Le garçon arrivait avec un gâteau rond surmonté d'une bougie. Il le posa sur la table.

« Une bougie, dit Josée. C'est la première fois que je te trompe. »

Ils restaient pétrifiés, regardant tour à tour Josée et la bougie, comme pour déchiffrer un rébus.

35

« Le marin du bateau, dit-elle impatiemment. Ricardo. »

Alan se leva, hésita; Josée le regarda puis baissa les yeux. Il sortit lentement.

« Josée... dit Eve. C'est une mauvaise plaisanterie...

– Pas du tout. Alan l'a bien compris. »

Elle prit une cigarette. Sa main tremblait. Brandon mit une minute à trouver son briquet et lui offrir du feu.

« De quoi parlions-nous? » dit Josée.

Elle se sentait épuisée.

La portière claqua. Josée restait à côté, indécise. Les Kinnel la regardaient sans rien dire. Aucune lumière dans la maison. Pourtant la Chevrolet était là.

« Il doit dormir », dit Eve sans y croire.

Josée haussa les épaules. Non, il ne dormait pas. Il l'attendait. Il allait y avoir une belle scène. Elle avait horreur des scènes, des violences de toutes sortes et, dans ce cas-là, des mots. Pourtant, elle l'avait bien cherché. « Je suis idiote, pensa-t-elle une fois de plus, complètement idiote. Je ne pouvais pas me taire...? » Elle se retourna vers Brandon, désespéré.

« Je ne pourrai pas supporter ça, dit-elle. Brandon, emmenez-moi à l'aéroport, prêtez-moi l'argent du voyage, je rentre.

– Vous ne pouvez pas faire ça, dit Eve. Ce serait... euh... lâche.

– Lâche, lâche... Qu'est-ce que ça veut dire, lâche? J'évite une scène inutile, c'est tout. Quels sont ces termes de boy-scout? Lâche... »

Elle parlait à voix basse. Elle cherchait désespérément un moyen de s'en sortir. Quelqu'un allait lui faire des reproches, quelqu'un qui en avait le droit. C'était une idée qu'elle n'avait jamais supportée.

« Il doit vous attendre, dit Brandon. Il doit être très secoué. »

Ils chuchotaient tous les trois. Ils avaient l'air de conspirateurs effrayés.

« Bon, dit Josée. Ça ne peut pas durer. J'y vais.

– Voulez-vous que nous attendions un peu? »

Brandon avait un air tragique et noble à la fois. « Il m'a pardonné mais son cœur de vieux soupirant saigne », pensa Josée et un rapide sourire lui vint.

« Il ne me tuera pas, dit-elle. Et même... » ajouta-t-elle avec emphase devant l'air horrifié des Kinnel.

Et elle leur fit un petit salut résigné avant de s'éloigner. A Paris, cela aurait été différent : elle aurait passé la nuit dehors avec de bons amis, bien gais, et serait rentrée à l'aube, trop épuisée pour qu'une scène l'épouvante. Mais là, elle avait traîné une heure avec deux censeurs sévères, ce qui avait achevé de la déprimer. « Peut-être va-t-il me tuer, pensa-t-elle, fou comme il l'est. » Mais elle n'y croyait pas. Au fond, il devait être enchanté, il avait un bon prétexte pour se torturer. Il allait lui demander mille détails, il allait...

« Mon Dieu, soupira-t-elle, que fais-je ici ? »

Elle avait besoin de sa mère, de sa maison, de sa ville, de ses amis. Elle avait voulu faire la maligne, voyager, se marier, s'expatrier, elle avait cru pouvoir tout recommencer. Et là, dans la nuit chaude de Floride, appuyée à la porte de cette maison de bambou, elle avait envie de gémir, d'avoir dix ans, d'appeler à l'aide.

Elle poussa la porte, hésita dans le noir. Peut-être dormait-il vraiment ? Peut-être pourrait-elle aller se coucher sur la pointe des pieds sans qu'il l'entende. Un grand espoir l'envahit. Comme lorsqu'elle rentrait du collège avec des bulletins désastreux et qu'elle écoutait sur le paillasson les rumeurs de la maison. Ses parents avaient-ils un grand dîner ? Si oui, elle était sauvée. C'était bien la même impression et elle pensa confusément qu'elle n'avait pas plus peur maintenant, devant un mari bafoué, que quinze ans auparavant, devant des parents somme toute indifférents à un zéro de géographie, fût-il décerné à leur fille unique. Peut-être y avait-il un palier à la mauvaise conscience, à l'effroi des conséquences, et peut-être l'atteignait-on une bonne fois à douze ans. Elle tendit la main vers l'interrupteur, alluma. Alan était assis sur le canapé, il la regardait.

« C'est toi? » dit-elle bêtement.

Et elle se mordit les lèvres. La repartie était facile mais il la lui épargna. Il était pâle et nulle bouteille ne se voyait près de lui.

« Que fais-tu dans le noir? » reprit-elle.

Et elle s'assit à quelques mètres, résignée. Il passa la main sur ses yeux, en un geste familier, et subitement elle eut envie de lui mettre les bras autour du cou, de le consoler, de lui jurer qu'elle avait menti. Mais elle ne bougea pas.

« J'ai téléphoné à mon avocat, dit Alan d'une voix calme. Je lui ai dit que je voulais divorcer. Il m'a conseillé d'aller à Reno ou ailleurs. Ce sera vite fait. Torts réciproques, ou les miens, comme tu veux.

— Bon », dit Josée.

Elle se sentait étourdie et soulagée à la fois. Mais elle ne pouvait détacher les yeux de lui.

« Après ce qui s'est passé, il semble que c'est le mieux », dit Alan.

Il se leva et posa un disque sur le pick-up.

Elle acquiesça de la tête. Il se retourna vers elle, si vite qu'elle sursauta.

« Tu ne penses pas?

– J'ai dit « oui », enfin, j'ai fait « oui » de la tête. »

La musique s'éleva dans la pièce, et elle chercha machinalement à la reconnaître. Grieg, Schumann? Il y avait deux concertos qu'elle confondait toujours.

« J'ai téléphoné aussi à ma mère. Je lui ai raconté – succinctement – les choses et je lui ai dit ma décision. Elle m'a approuvé. »

Josée ne répondit pas. Elle le regarda avec une grimace qui signifiait : « Ça ne m'étonne pas. »

« Elle m'a même dit qu'elle était contente de me voir enfin agir en homme », ajouta Alan, d'une voix presque inaudible.

Il lui tournait le dos. Elle ne pouvait voir son visage mais elle le devinait. Elle esquissa un mouvement vers lui, puis s'arrêta.

« En homme!... répéta Alan d'une voix pensive. Tu te rends compte? C'est ce qui m'a réveillé. Sincèrement – et il se retourna vers elle –, sincèrement, tu penses que c'est se conduire en homme que de quitter la seule femme qu'on ait jamais aimée parce qu'elle a passé une demi-heure dans les bras d'un pêcheur de requins? »

Il lui posait la question de bonne foi, visiblement comme il l'eût posée à un vieil ami. Il n'y avait nulle trace de rancune ni d'ironie dans sa voix. « Il a quelque chose qui me plaît, pensa

40

Josée, il a quelque chose de fou qui me plaît. »

« Je ne sais pas, dit-elle. Je ne crois pas, non.

— Tu es objective, n'est-ce pas? Je le sais. Tu es capable d'être objective sur n'importe quoi. C'est une des raisons pour lesquelles je t'aime tant. Et si profondément. »

Elle se leva. Ils étaient debout l'un en face de l'autre, ils se regardaient, ils se reconnaissaient. Il mit les bras sur ses épaules, elle se laissa glisser et posa la joue contre son chandail.

« Je te garde. Je ne te pardonne pas, dit-il. Je ne te pardonnerai jamais.

— Je sais, dit-elle.

— Je n'ai pas crevé l'abcès, je ne recommence pas à zéro, il n'y a pas de coup d'éponge. Je ne suis pas un homme comme ma mère l'entend, tu le sais?

— Je sais », dit-elle. Elle avait envie de pleurer.

« Tu es fatiguée et moi aussi. De plus je suis aphone. Il fallait hurler pour se faire entendre de New York. Tu me vois hurlant : « Ma femme « m'a trompé, je répète : ma femme m'a « trompé »? Comique, non?

— Oui, dit-elle, comique. Je veux dormir, à présent. »

Il la lâcha et enleva le disque du pick-up. Il le rangea soigneusement puis se retourna vers elle :

« Il t'a fait plaisir? Dis-moi... il t'a fait plaisir? »

Septembre finissait. Ils auraient dû être de retour à New York mais ni l'un ni l'autre n'y faisait allusion. Alan détestait « les autres ». Quant à Josée, elle préférait encore vivre seule avec lui que de supporter la jalousie qu'éveillaient la moindre de ses paroles, le moindre de ses regards quand ils ne lui étaient pas directement adressés. En ce sens, il avait réussi son plan : peu à peu, l'Amérique, l'Europe se fondaient dans la brume et il ne subsistait de sa vie que le visage anxieux, de plus en plus bronzé, de plus en plus creusé, d'Alan. Les Kinnel s'attardaient aussi. Mais le rythme des conversations avait baissé. Alan affichait un mépris bizarre pour Brandon depuis l'histoire de Ricardo. « Si cet idiot-là n'avait pas sauté à ton injonction comme un toutou... » et Josée n'essayait même pas de lui démontrer le comique de son raisonnement. Au reste, elle était lasse de parler de Ricardo, de répondre aux mille questions que lui posait Alan sur les charmes de Ricardo et de crier « non » quand on lui demandait si elle pensait à Ricardo. Elle ne pensait plus à rien. Le soleil l'excédait, elle déplorait amèrement qu'Alan ne dût pas aller au bureau de huit heures à six heures du soir, elle regrettait les gros chandails des pays froids

42

et elle passait son temps dans la pénombre de sa chambre climatisée à lire des romans policiers. En dehors de ça, elle était calme, souriante, inerte. Il lui semblait qu'elle mourrait un beau jour, en Floride, sans que personne ni elle-même ne sût pourquoi. Alan rôdait autour d'elle, l'interrogeait sur sa vie passée, sur Paris, et cela finissait invariablement par Ricardo, des mots violents, des insultes et l'amour sur le lit de bambou. Tout était dans l'ordre. Elle le regardait arriver comme l'oiseau regarde le fameux serpent, mais comme un oiseau blasé, s'il en existe.

« Au fond, tu aimes ça », lui dit-il un jour, après une scène particulièrement longue, et elle le regarda, horrifiée. Peut-être en effet finissait-elle par aimer cela : être traitée non plus comme un être indépendant mais comme l'objet impuissant d'un amour maladif. Elle se posa la question toute la nuit, s'avoua qu'elle était envoûtée et qu'elle n'avait plus la force de réagir. Mais elle n'aimait pas ça. Non. Elle aimait partager la vie d'un homme sans en être l'obsession. Et elle était loin de l'imbécile fierté que cette obsession avait provoquée chez elle les premiers temps.

Un soir, dans un accès de courage, elle supplia Alan de la laisser partir, seule, quinze jours, n'importe où. Il refusa.

« Je ne peux pas vivre sans toi. Si tu veux me

43

quitter, quitte-moi. Renonce à moi complètement ou supporte-moi.

– Je te quitterai.

– Sûrement un jour. En attendant, je ne vais
pas m'infliger quinze jours de torture pour
rien. Je t'ai, j'en profite. »

Il riait. Elle n'arrivait pas à le haïr. Elle
n'osait pas le quitter. Elle avait peur. Elle
n'avait jamais rien fait de tellement brillant
dans sa vie pour qu'elle pût s'offrir le luxe
d'être responsable de la mort d'un homme, ou
de sa déchéance. Ou même de son désespoir.
Sans doute, elle « gâchait » sa vie, comme disait
Brandon, mais qu'avait-elle fait d'autre jusque-
là? « J'ai été très heureuse quand même », se
disait-elle. Mais c'était peu dans la balance. Une
vie relativement propre, des amis fidèles, de la
gaieté, rien de tout cela ne pouvait s'opposer à
l'idée fixe d'un homme de trente ans.

« Où veux-tu que ça nous mène? Nous ne
sommes pas heureux.

– Par moments, un peu, disait-il (et c'était
vrai). De toute manière, nous irons jusqu'au
bout. Je t'userai, je m'userai, je ne te quitterai
pas, nous n'aurons pas de répit. Deux êtres humains doivent pouvoir vivre cramponnés l'un
à l'autre sans respirer. Ça s'appelle l'amour.

– Deux êtres humains pourris d'argent, dit-
elle. Si tu devais travailler...

– La question ne se pose pas, Dieu merci. Et

si je devais travailler, je me ferais pêcheur et je t'emmènerais sur mon bateau. Il paraît que tu aimes les pêcheurs... »

Et tout recommençait. Tout recommençait mais rien ne ressemblait à ce qu'elle avait connu. Alan avait un prestige à ses yeux plus fort que ses tares : il était détaché. Détaché de lui-même jusqu'au suicide qu'il avait déjà manqué par hasard un hiver. Et puis il ne se chérissait pas, il n'avait pas pour lui ces dorlotements affreux des autres gens, il n'avait même pas une bonne idée de lui-même. Il était désarmé devant elle, il disait : « Je te veux et si tu pars, rien ne me consolera, même pas le plaisir de pleurer. » Il l'effrayait. Car il lui était indifférent d'être beau alors qu'elle aimait plaire, indifférent d'être riche alors qu'elle aimait dépenser, indifférent d'exister alors qu'elle aimait la vie. Son indifférence ne cédait que devant elle. Et d'une façon si affamée... si morbide.

« Tu aurais dû être pédéraste, disait-elle. Avec ta mère comme raison. Et puis ton physique et ton argent comme moyens. Tu aurais été la coqueluche de Capri...

— Et toi, tu aurais été tranquille... Seulement j'ai toujours aimé les femmes. Enfin... J'ai toujours eu des femmes. Jusqu'à toi. Avant toi, je n'aimais rien vraiment. Et tu as été aussi mon premier corps. »

Elle le regardait, un peu égarée. Elle avait aimé d'autres hommes que lui, d'autres corps surtout. Les nuits de Paris, les plages du Midi; cette tendre usure qu'elle en gardait et qu'il haïssait, elle ne pouvait les renier devant lui. Elle trouvait plus indécent qu'il exposât ce passé glacé et confortable et qu'il s'en glorifiât presque. Mais non, il ne s'en glorifiait pas. En fait, il n'avait aucune idée d'ensemble de sa vie, aucune attitude délibérée. Il voguait de crise en crise, de sensation en sensation comme un malade ou un homme complètement sincère. Et elle ne voyait pas s'il était l'un ou l'autre; ni comment, dans le premier cas, elle avait le droit de lui dire : « Voyons, mon cher, vous êtes un être humain. Soignez-vous. » Ni comment elle pouvait, dans le second cas, le convaincre que ce n'était pas la bonne méthode, qu'il y avait des petites concessions à faire dans la vie de société et certaines tricheries pieuses, à effectuer. Encore qu'elle fût persuadée de la nécessité de ces tricheries sans l'être de leur bien-fondé. Les gens qui parlaient d'absolu la dégoûtaient encore plus que ceux qui n'y pensaient pas. Seulement Alan n'en parlait pas.

Leurs meilleurs moments étaient toujours au milieu de la nuit, après qu'ils se soient bien acharnés l'un sur l'autre, selon des rites bien établis, lorsque la fatigue desserrait le visage d'Alan, l'amollissait et lui rendait cette enfance balbutiante dont il n'aurait sans doute jamais dû sortir. Alors elle essayait de lui parler, doucement, de faire rentrer ses mots dans son sommeil, dans cette vie sans elle à laquelle il se résignait enfin pour quelques heures. Elle lui parlait de lui. Elle lui disait combien il était fort, et sensible, et séduisant, et exceptionnel, elle essayait de le ramener à lui-même, de l'intéresser à lui, il disait : « Tu trouves? » d'une voix puérile et ravie et il s'endormait contre elle. Un matin, songeait-elle, il s'éveillerait épris de lui-même, autonome, et elle le verrait à un léger signe. Il bâillerait et chercherait ses cigarettes sans lui jeter un regard. Elle feignait le sommeil, parfois, pour l'épier. Mais sitôt réveillé, il tendait la main convulsivement vers elle pour vérifier sa présence et, rassuré, ouvrait définitivement les yeux, se soulevait sur son coude pour la regarder dormir. Un jour où elle s'était levée pour regarder l'aube, très tôt, il eut un véritable cri d'angoisse qui la fit accourir. Ils se dévisagèrent sans un mot et elle se recoucha près de lui.

« Tu n'es pas un homme, disait-elle.

— Qu'est-ce que c'est « être un homme »? Si c'est être courageux, je le suis. Viril, aussi. Egoïste, aussi.

— Un homme ne doit pas avoir perpétuellement besoin de quelqu'un, sa mère ou sa femme, pour vivre.

– Je n'ai pas eu besoin de ma mère. Et je suis épris de toi. Lis Proust. Et si tu as besoin de protection, je suis là, aussi, en tant qu'homme.

– Je n'ai pas besoin de protection, en ce moment, j'ai besoin d'air.

– De l'air du large? De Ricardo? »

Elle sortait. Elle sortait et restait sur le pas de la porte, écrasée par le soleil. Parfois, elle pleurait de fatigue et ramassait ses larmes sur sa joue, avec la langue, d'un geste d'écolière. Puis elle rentrait. Alan mettait un disque qu'ils aimaient, ils parlaient de la musique qu'il connaissait bien, elle finissait par lui répondre. Le temps passait.

Un jour de septembre, à la fin du mois, ils reçurent un télégramme. La mère d'Alan allait être opérée. Ils firent leurs bagages et ils quittèrent, le cœur serré, la maison où ils avaient été si heureux.

LA PAUSE

III

La chambre blanche était encombrée de petites boîtes de cellophane où se desséchaient des orchidées pâlottes. Helen Ash fixait sa belle-fille de son fameux regard d'oiseau de proie, – elle ne se rappelait plus quel journaliste avait écrit cela à son propos mais, depuis dix ans, elle écarquillait la prunelle dans les cas sérieux et resserrait les narines. Josée, qui reconnaissait ce symptôme, soupira.

« Alors, quelles nouvelles? J'ai vu Alan ce matin. Il a bonne mine plutôt. Mais c'est un paquet de nerfs.

– Il l'a toujours été, je suppose. Enfin, tout va bien, mère. Et vous? L'opération n'est pas grand-chose, il paraît? »

Le regard d'oiseau de proie fit place à une expression résignée.

« Les opérations des autres ne semblent

jamais très graves. Même aux plus proches.

– Même aux chirurgiens, dans votre cas, dit paisiblement Josée, et c'est ce qui me rassure. »

Il y eut un silence. Helen Ash n'aimait pas qu'on lui gâche ses numéros. Et aujourd'hui il consistait à léguer son fils fragile à sa bru avant de partir vers une opération fatale. Elle posa sa main sur le bras de Josée qui en admira distraitement les bagues.

« Ce saphir est ravissant, dit-elle.

– Tout cela sera bientôt à vous. Si, si, continua-t-elle devant le geste de Josée, si, si, bientôt. Et ils vous aideront à vous consoler bien vite de la mort d'une vieille femme insupportable. »

Elle s'attendait à plusieurs protestations sur sa santé, son âge et son caractère, et l'attachement qu'elle savait inspirer. Mais elle en eut une autre :

« Ah! non, dit Josée en se levant. Ah! non, j'en ai assez. Je ne vais pas, en plus, gémir sur vous. Vous n'avez pas un vieil oncle, aussi, dans la famille, qui ait besoin qu'on le plaigne?

– Ma petite Josée... vous êtes à bout de nerfs, vous aussi.

– Oui, dit Josée, je suis également à bout de nerfs...

– La Floride...

– La Floride est ensoleillée, c'est tout.

– C'est tout? »

Le ton de la voix surprit Josée. Elle fixa Helen qui baissa les yeux.

« Alan m'a téléphoné un soir. Mais vous pouvez tout me dire, ma petite fille, entre femmes...

– Ricardo, hein?

– J'ignore son nom. Alan était dans un état fou et... Josée... »

Elle était déjà sortie. Elle ne se calma que dehors. Les rues de New York étaient ensoleillées et bruyantes, l'air vif et excitant comme toujours. « Ricardo, murmura-t-elle en souriant, Ricardo... ce nom me rendra folle. » Elle essaya de se rappeler son visage et n'y parvint pas. Alan signait des papiers pour sa mère, seul travail qu'il ait accepté, bien entendu, et elle décida de remonter l'avenue à pied.

Elle retrouvait l'odeur de la ville, l'air pressé de la foule, la sensation de marcher avec des hauts talons, et elle souriait aux anges quand elle reconnut Bernard. Ils se dévisagèrent avec le même ahurissement avant de tomber dans les bras l'un de l'autre.

« Josée... Je te croyais morte.

– Mariée seulement. »

Il se mit à rire. Il avait été très amoureux d'elle à Paris quelques années auparavant. Et elle se le rappelait encore désemparé, maigre dans son vieil imperméable, lui disant adieu, les yeux brouillés. Elle le retrouvait plus large, plus brun, souriant. Brusquement, il lui sembla qu'elle retrouvait d'un coup toute sa famille, tout son passé, qu'elle se récupérait elle-même. Elle se mit à rire.

« Bernard, Bernard..., quelle joie de te voir! Que fais-tu ici?

— Mon livre est sorti ici. Tu sais, j'ai eu un prix. Finalement.

— Et tu es devenu prétentieux?

— Très. Et riche en même temps. Et homme à femmes. Tu sais : l'écrivain épanoui. Celui qui a fait une œuvre.

— Tu as fait une œuvre?

— Non. Un livre qui a pris. Mais je ne le dis pas et j'y pense à peine. Viens boire quelque chose. »

Il l'entraîna dans un bar. Elle le regardait et souriait. Il lui parlait de Paris, de leurs amis, de son succès et elle retrouvait ce mélange de gaieté et d'amertume qu'elle avait toujours aimé chez lui. Il avait toujours été un frère pour elle, bien qu'il en ait souffert et bien qu'elle ait essayé une fois de l'en consoler. C'était si loin. Entre-temps, il y avait eu Alan. Elle se rembrunit et il s'arrêta de parler.

« Et toi? Ton mari? Américain?

— Oui.

— Gentil, honnête, tranquille, adorateur?

— Je l'ai cru.

– Méchant, désaxé, cruel, sans scrupules, brutal?

– Non plus. »

Il se mit à rire.

« Ecoute, Josée, je t'ai fait deux portraits types. Je ne suis pas surpris que tu aies trouvé un oiseau rare, mais explique.

– Voilà, dit-elle, il... »

Et subitement elle éclata en sanglots.

Elle pleura longtemps sur l'épaule de Bernard, Bernard bouleversé et confus. Elle pleura longtemps sur Alan et elle-même et sur ce qu'ils avaient été l'un pour l'autre, sur ce qui était fini ou qui allait l'être. Car cette rencontre lui avait fait comprendre ce qu'elle refusait de croire depuis six mois : qu'elle s'était trompée. Et elle avait trop de goût pour elle-même, trop de fierté pour supporter de se tromper plus longtemps. Ce cauchemar trop tendre était terminé.

Pendant ce temps, Bernard promenait son mouchoir sur son visage, en tous les sens, et murmurait des mots indistinctement, des menaces envers le petit salaud, etc.

« Je vais le quitter, dit-elle enfin.

– Tu l'aimes?

– Non.

– Alors ne pleure plus. Ne dis rien, bois quelque chose, tu vas être complètement déshydratée. Tu as embelli, tu sais. »

Elle se mit à rire. Puis elle prit sa main entre les siennes.

« Tu repars quand?

– Dans dix jours. Tu repars avec moi?

– Oui. Ne me quitte pas pendant dix jours, enfin, pas trop.

– Je dois passer à la Radio entre deux réclames de chaussures, mais c'est tout. Je pensais flâner. Tu me montreras New York.

– Oui. Viens à la maison ce soir. Tu verras Alan. Tu lui diras que ça ne peut pas durer. Il t'écoutera peut-être, et... »

Bernard sursauta.

« Tu es toujours aussi folle. C'est à toi de lui parler. Voyons.

– Je ne pourrai pas.

– Ecoute, en Amérique, un divorce, ce n'est pas un événement. »

Alors elle tenta de lui parler d'Alan. Mais Bernard fit son petit Français, parla de bon sens, de névrose, et de divorce immédiat.

« Il n'a que moi, dit-elle avec désespoir.

– C'est une phrase idiote », commença Bernard.

Puis il s'arrêta et reprit :

« Excuse-moi. J'ai dû avoir une vieille jalousie. Je viendrai ce soir. Mais ne t'inquiète pas : je suis là. »

Deux ans plus tôt, cette phrase l'eût fait rire. Mais elle se sentit rassurée. Il était vrai que le succès, qu'il y croie ou non, avait équilibré Bernard. Enfin elle lui avait demandé protection, elle avait toujours son charme d'antan; ils se quittèrent mutuellement impressionnés.

Alan était debout devant la glace, nouant sa cravate, étonnamment beau dans son costume sombre. Déjà prête, elle l'attendait. C'était une des maniès d'Alan : il la regardait s'habiller, se maquiller, la gênait, la dérangeait sous prétexte de l'aider, puis se changeait à son tour devant elle, lentement, avec une sorte de narcissisme. Elle admirait une fois de plus ce torse bronzé, ces hanches étroites, ce cou vigoureux, elle pensait qu'ils ne lui appartiendraient plus très prochainement et elle se demandait avec une sorte de honte si cette beauté ne lui manquerait pas autant que le reste.

« Où dîne-t-on?

– Où tu veux.

– Voilà, j'ai oublié de te dire. J'ai rencontré un vieil ami à moi, un Français, Bernard Palig. Il écrit des romans et son livre sort ici. Je l'ai invité à dîner. »

Il y eut une seconde de silence. Elle se demanda pourquoi la réaction d'Alan lui importait tant puisqu'elle devait aussi bien le quitter dans dix jours. Mais cela lui paraissait aussi impossible en face de lui qu'inéluctable deux heures avant.

« Pourquoi ne me l'as-tu pas dit plus tôt?

– Je n'y pensais plus.

– C'est un amant à toi?

– Non.

– Tu n'as jamais rien eu avec lui? Il est borgne ou quoi? »

Elle retint son souffle une seconde. Elle sentait le nœud de la colère se resserrer entre ses côtes, elle compta les pulsations subitement perceptibles de l'artère à son cou. Elle faillit dire : « Je divorce » d'une voix tranquille et définitive. Puis elle songea qu'on ne peut quitter quelqu'un comme on se venge, qu'elle allait lui faire assez mal.

« Il n'est pas borgne, dit-elle, il est très gentil et je suis sûre qu'il te plaira. »

Alan resta immobile, sa cravate mal nouée entre les doigts. Dans la glace, il leva les yeux vers elle, surpris par la douceur de sa voix.

« Je te demande pardon, dit-il. Que la jalousie me rende sot, c'est déjà triste, mais grossier, c'est inexcusable. »

« Ne deviens pas humain, pensa Josée, ne commence pas à changer, ne m'enlève pas mes armes ni mes bonnes raisons pour te quitter. Ne me fais pas ça. » Elle n'aurait peut-être plus le courage de le quitter et il le fallait. Il le fallait absolument. Maintenant qu'elle s'y était décidée, qu'elle avait entrevu sa vie sans lui, elle vivait en plein vertige au bord des mots.

Tant qu'elle ne les aurait pas dits, rien ne serait fait, sa décision n'existait pas.

« J'ai eu une histoire avec lui, en fait, trois jours.

— Ah? dit Alan, c'était l'écrivain de la province. Comment tu l'appelles déjà?

— Bernard Palig.

— Tu m'as raconté un soir. Tu étais allée lui dire que sa femme avait besoin de lui et tu es restée à l'hôtel, c'est ça?

— Oui, dit-elle, c'est ça. »

Elle revit brusquement la place grise de Poitiers, le papier usé sur les murs de la chambre, elle respira tout d'un coup l'odeur de la province, et elle sourit. Tout cela allait lui être rendu. Les collines douces de l'Ile-de-France, les petits jardins de curé, les vieilles maisons, l'air des rues de Paris, la Méditerranée dorée, la mémoire.

« Je ne me rappelais pas te l'avoir dit.

— Tu m'as dit plein de choses. Ce que je ne sais pas de toi, c'est que tu l'as oublié toi-même. Je t'ai tout arraché. »

Il se tournait vers elle. Depuis longtemps, elle ne l'avait pas vu habillé ainsi et cet homme en bleu marine, ce visage enfantin aux yeux durs lui étaient subitement étrangers. « Alan », gémit une voix en elle-même, mais elle ne bougea pas.

« On n'arrache jamais rien à personne, dit-

elle. Ne t'inquiète pas. Et sois assez gentil pour
ne pas insulter Bernard.

— Tes amis sont mes amis. »

Ils ne se quittaient pas des yeux. Elle se mit à
rire.

« Hostiles... Voilà ce que nous sommes deve-
nus; hostiles l'un à l'autre.

— Oui, mais moi je t'aime, dit Alan d'une voix
polie. Viens, nous allons attendre ton ami dans
la bibliothèque. »

Il lui prit le bras et elle s'appuya sur lui
machinalement. Il y avait combien de temps
qu'elle s'appuyait sur ce bras? Un an, deux
ans? Elle ne se rappelait plus, elle avait peur
subitement que ce bras ne lui manque, qu'elle
ne sache plus jamais où poser sa main. La
sécurité... cet homme névrosé était sa sécurité,
douce dérision.

Bernard arriva à l'heure et ils burent un
cocktail, en parlant de New York poliment.
Josée avait eu l'impression qu'elle allait assis-
ter à la rencontre de deux mondes, de ses
deux mondes, mais en fait elle buvait un dry
avec deux hommes de la même taille, également bien élevés, qui avaient eu ou avaient un
sentiment pour elle. Alan souriait et le regard
de Bernard qui était plein de condescendance
à l'arrivée s'était vite transformé en un regard
d'agacement. Elle avait oublié à quel point
Alan était beau et s'en sentit bizarrement fière.

Elle en oublia de surveiller le shaker et seule une mimique expressive de Bernard la fit se retourner vers son mari. Il avait la plus grande difficulté à extraire une cigarette de son paquet.

« Nous pourrions aller dîner, dit-elle.

– Un dernier verre », proposa Alan aimablement et il se tourna vers Bernard qui refusa.

« J'y tiens, reprit Alan, j'y tiens beaucoup. »

L'atmosphère s'était brusquement tendue. Bernard se leva.

« Non, merci. J'ai vraiment très faim.

– Je vous demande de porter un toast avec moi, dit Alan. Vous ne pouvez pas refuser.

– Si Bernard n'y tient pas..., commença Josée mais Alan l'interrompit :

– Alors, Bernard ? »

Ils étaient en face l'un de l'autre. « Alan est plus musclé mais il est soûl, pensa Josée rapidement. D'ailleurs, je ne me rappelle plus si Bernard est costaud ou pas... C'est bien le moment de me faire un cours d'anatomies comparées. » Elle prit le verre des mains d'Alan.

« Je boirai avec toi. Et Bernard aussi. A quoi ?

– A Poitiers », dit Alan et il vida son verre d'un trait.

Bernard leva son verre.

« A Key-West, dit-il. Une politesse en vaut une autre.

– A cette charmante soirée », dit Josée.

Et elle éclata de rire.

Ils rentrèrent à l'aube, tous les trois, de Harlem. Les gratte-ciel renaissaient dans le brouillard mauve qui montait de Central Park et les feuilles jaunies aux arbres semblaient reprendre à l'air froid une nouvelle jeunesse.

« Quelle belle ville! » dit Bernard à voix basse.

Josée hocha la tête. Elle était entre eux deux, comme pendant toute la soirée. Ils l'avaient installée entre eux, fait danser à tour de rôle, comme des automates. Alan avait bu modérément pour une fois et n'avait pas recommencé ses allusions. Bernard s'était un peu détendu mais elle ne se rappelait pas qu'ils se soient adressé directement la parole. « Une vie de chien, pensa-t-elle, une vraie vie de chien. Et une vie qu'on m'envierait, probablement. » Alan ouvrit la fenêtre pour jeter sa cigarette et l'air froid s'engouffra dans le taxi.

« Il fait froid, dit-il. Il fait froid partout.

– Sauf en Floride, dit-elle.

– Même en Floride. Mon cher Bernard, dit-il tout à coup et ce dernier sursauta, mon cher Bernard, oublions une seconde cette jeune femme entre nous sur la banquette. Oublions, moi votre côté petit Français, vous mon côté fils de famille. »

Bernard haussa les épaules. « C'est curieux, pensa Josée, il sait que je vais quitter Alan, rentrer à Paris en même temps que lui et c'est lui qui est vexé. »

« Voilà, dit Alan, c'est oublié. Nous allons parler un peu maintenant. Taxi, cria-t-il, trouvez-moi un bar, n'importe où.

— J'ai sommeil, dit Josée.

— Tu auras sommeil plus tard. Moi, il faut que je parle à mon ami Bernard qui a une conception latine de l'amour et peut m'éclairer sur mon ménage. Et puis j'ai soif. »

Ils se retrouvèrent dans un petit bar désert de Broadway, le *Bocage*, et ce nom fit sourire Josée. Quelle idée pouvait se faire le patron d'un bocage normand? Ou bien était-ce le son des deux syllabes qui lui avait plu? Alan commanda trois alcools et menaça de les boire tous les trois s'ils prenaient autre chose.

« Nous avons donc oublié Josée, dit-il. Je ne vous connais pas, je suis un ivrogne que vous rencontrez dans un bar et qui vous casse les pieds avec le récit de sa vie. Je vais vous appeler Jean, c'est typiquement français.

— Appelez-moi donc Jean », dit Bernard.

Il vacillait de sommeil.

« Mon cher Jean, que pensez-vous de l'amour?

– Rien, dit Bernard, strictement rien.

– Ce n'est pas vrai, Jean. J'ai lu vos œuvres, enfin un tome. Vous pensez beaucoup de choses de l'amour. Eh bien, moi, je suis amoureux. D'une femme. De ma femme. Amoureux d'une manière sadique et dévorante. Que dois-je faire? Elle songe à me quitter. »

Josée le regarda, regarda Bernard qui se réveillait.

« Si elle vous quitte et que vous savez pourquoi, je vois mal ce que je peux ajouter.

– Je vais vous expliquer ce que je crois. L'amour on le cherche. On se met à deux pour le chercher. Il se trouve que l'un des deux le possède. Dans ce cas, c'était moi. Ma femme a été ravie. Elle venait comme une biche manger dans ma main ce fruit tendre et inépuisable. C'était la seule biche que je supportasse de nourrir. »

Il but son verre d'un trait, sourit à Josée.

« Vous excuserez ces comparaisons, mon cher Jean. Les Américains sont souvent poètes. Bref, ma femme s'est gavée, ma femme a envie d'autre chose ou ne supporte pas que je la nourrisse de force. Et pourtant j'ai toujours ce fruit qui me pèse dans la paume et que je veux lui donner. Que faire?

– Vous pourriez imaginer qu'elle a aussi un fruit dans la main et que... d'ailleurs vos comparaisons m'agacent. Au lieu de vous poser comme le généreux donateur, vous auriez pu penser qu'elle avait quelque chose à donner aussi, la comprendre, je ne sais pas, moi...

— Vous êtes marié, non, mon cher Jean?

— Oui, dit Bernard, et il se contracta.

— Et votre femme vous aime, et vous nourrit. Et vous ne la quittez pas, bien qu'elle vous ennuie.

— Vous êtes bien renseigné.

— Et vous ne la quittez pas par ce que vous appelez de la pitié, c'est ça?

— Ça ne vous regarde pas, dit Bernard. On parle de vous.

— Je parle de l'amour, dit Alan. Il faut fêter ça. Barman...

— Arrête de boire », dit Josée.

Elle avait parlé à voix basse. Elle se sentait mal. Il était vrai qu'elle s'était nourrie de l'amour d'Alan, qu'elle y avait trouvé une raison de vivre — ou une occupation, pensa-t-elle furtivement. Il était vrai qu'elle n'en pouvait plus. Qu'elle ne voulait plus être « nourrie de force » comme il disait. Alan reprenait :

« Donc, votre femme vous ennuie, mon cher Jean. Il y a longtemps, vous avez aimé Josée, enfin vous avez cru que vous pourriez l'aimer, elle vous a cédé, vous avez joué ensemble une comédie triste et sentimentale, sur la même note. Car vos violons s'accordent bien, sur le mode mineur, s'entend.

– Si vous voulez », dit Bernard.

Il regarda Josée et ils ne se sourirent pas. En ce moment, elle aurait donné tout au monde pour l'avoir passionnément aimé, pour opposer quelque chose aux paroles d'Alan. Bernard le comprit et rougit.

« Et vous, Alan? Qu'avez-vous fait? Vous avez aimé une femme et vous lui avez empoisonné l'existence.

– C'est déjà quelque chose. Croyez-vous que quelqu'un puisse la lui remplir? »

Ils se retournèrent vers elle. Elle se leva lentement.

« Je suis ravie de cette discussion. Puisque vous m'avez oubliée, continuez. Je vais me coucher. »

Elle était dehors avant qu'ils ne soient debout et trouva aussitôt un taxi. Elle lui donna l'adresse d'un hôtel qu'elle connaissait vaguement.

« Il est tard, murmura le taxi en connaisseur, il est tard pour se coucher.

– Oui, dit-elle, il est trop tard. »

Et subitement, elle se vit, fuyant dans un taxi, à vingt-sept ans, quittant son mari qui l'aimait, traversant New York à l'aube et disant : « Il est trop tard » d'une voix grave. Elle se dit que toute sa vie elle ne pourrait s'empêcher de récapituler les situations, de les mettre en scène, de « se voir » en action, elle se dit qu'elle aurait pu pleurer dans ce taxi ou laisser la peur l'envahir au lieu de se demander distraitement si le nom du chauffeur, épinglé au siège selon la loi, était réellement Silvius Marcus.

Seulement, lorsqu'elle eu commandé un billet d'avion pour Paris, une brosse à dents et du dentifrice – le tout pour l'après-midi même, lorsqu'elle se fut couchée en chien de fusil, le jour pénétrant vaguement dans la chambre anonyme, elle se mit à trembler de froid, de fatigue et d'absence. Elle avait l'habitude de dormir le long d'Alan; et pendant une demi-heure, le temps qu'elle s'endorme, sa vie lui apparut comme une vaste catastrophe.

IV

Il faisait un vent affreux qui cassait les branches des arbres, les soulevait une minute, libres, transfigurées, avant de les laisser retomber sur le sol et de les y rouler, dans la poussière, l'herbe ratatinée et finalement la boue où elles s'enlisaient définitivement. Josée, devant la porte, regardait la pelouse, les champs jaunâtres et les marronniers affolés. Une grande branche se détacha brusquement du tronc avec un gémissement aigu, fit un bond en l'air, toutes les feuilles rabattues par le vent, et retomba aux pieds de Josée. « Icare », dit-elle, et elle la ramassa. Il faisait froid. Elle rentra dans la maison, monta jusqu'à sa chambre. C'était une pièce carrelée, sans meubles, sauf une table couverte de journaux et une énorme armoire. Elle posa la branche sur son lit, la racine sur l'oreiller et l'admira une seconde. Elle était froissée, convulsée, jaunie, elle ressemblait à une mouette abattue, à une gerbe de cimetière, elle était l'image même de la désolation.

Depuis quinze jours qu'elle vivait là, dans cette campagne normande, ravagée par un automne violent, elle n'avait rien fait. Dès son arrivée à Paris, elle avait loué à une agence trop contente cette vieille maison isolée, comme elle en aurait loué une en Touraine ou dans le Limousin. Elle n'avait prévenu personne. Elle avait voulu se ressaisir et elle trouvait à présent ce mot piquant. Il n'y avait rien à ressaisir, et surtout pas elle-même. Elle avait dû lire ce verbe dans trop de romans. Ici, il y avait le vent qui saisissait tout et relâchait tout, il y avait l'agrément du feu le soir dans la cheminée, de tous les parfums de la terre et de la solitude. Bref, la campagne. Mais il avait fallu qu'elle fût encore bien jeune, ou bien livresque, pour imaginer si délicieusement dans l'avion du retour une maison de campagne où reconstruire sa vie, se rebâtir. Rien n'était démoli, rien n'avait été perdu, pas même le temps, et il lui fallait bien admettre cette inviolabilité de son esprit, cet équilibre de son corps malgré tous les regrets et toutes les réminiscences déchirantes de sa mémoire. Elle pouvait rester ici longtemps, quitte à s'ennuyer. Ou rentrer à Paris et recommencer.

Recommencer à chercher ce fruit dont parlait Alan, ou un certain confort, ou à travailler, ou à s'amuser. Elle pouvait aussi aller se promener dans le vent, ou poser un disque sur le pick-up, ou lire. Elle était libre. Ce n'était pas désagréable, ce n'était pas exaltant. C'était simplement cet optimisme inattaquable qui était le seul élément constant de son caractère.

Elle ne se rappelait pas avoir jamais été désespérée. Simplement déprimée parfois jusqu'à l'abrutissement. Elle se rappelait avoir sangloté sur un chat mort, son vieux siamois, mort de typhus, il devait y avoir quatre ans de cela. Elle se rappelait les secousses violentes de son chagrin, l'espèce de raclement affreux en elle-même qui amenait ses larmes. Elle se rappelait avoir évoqué complaisamment les mimiques du chat, ses sommeils devant le feu, sa confiance. Oui, c'était bien là le pire : la disparition de quelqu'un qui ait entière confiance en vous, qui vous ait remis sa vie. Il ne devait pas être supportable de perdre un enfant. Il devait l'être plus de perdre un mari jaloux. Alan... que faisait-il ? Rôdait-il dans New York de bar en bar ? Ou se rendait-il chez son psychiatre tous les jours, la main dans la main de sa mère ? Ou, plus simplement, dormait-il avec une petite Américaine compatissante ? Rien de tout cela ne la satisfaisait. Elle aurait voulu savoir.

Elle ne parlait à personne, sauf à la jardinière picarde qui s'occupait du ménage et dormait dans la maison car Josée avait peur la nuit. De temps en temps, elle allait au village sans raison précise, simplement pour parler français et acheter les journaux qu'elle feuilletait sans les lire. L'arrivée à Paris, après deux ans d'absence, avait été incroyable. Elle avait passé trois jours dans les rues, dormant d'un hôtel à l'autre, étourdie de reconnaissance. Rien n'avait changé; son ancien appartement semblait toujours inhabité. Les gens avaient la même expression. Elle n'avait rencontré personne, téléphoné à personne. Et puis l'envie de la campagne lui était venue si soudainement qu'elle avait loué une voiture et s'était enfuie. Ses parents devaient la croire toujours en Floride, Bernard et Alan la cherchaient peut-être à New York et, seule dans la maison, elle lisait Conan Doyle. Tout cela était comique. Mais seul le vent semblait vraiment sérieux dans sa rage, lui seul semblait poursuivre un but précis, avoir une destination. Quand il serait calmé, plus tard, la gardienne ramasserait ses victimes sur la pelouse et les brûlerait. La douce odeur des feux d'herbes monterait par la fenêtre, l'arracherait aux aventures de Sherlock Holmes, la soumettrait une fois de plus à leur nostalgie; comme l'odeur de la terre la nuit, comme le contact des draps rugueux et parfumés à l'antimite, comme tout ce qui lui rappelait une jeunesse trop proche et déjà loin, comme embaumée. Le chien grattait à la porte. C'était le chien de la ferme, il l'aimait et passait des heures, la tête sur ses genoux. Malheureusement, il bavait un peu. Elle lui ouvrit et, par la fenêtre du corridor, aperçut le facteur. C'était la première fois qu'il venait.

Le télégramme disait : « T'attends d'urgence Paris. Tendresses. Bernard. » Elle s'assit sur son lit, caressa la branche morte, distraitement, pensa une seconde qu'elle se ferait faire un manteau de la même couleur. Le chien la regardait.

PARIS

V

« Ma douce, je te connais. Tu avais envie d'être seule et envie de province. Donc de louer quelque chose. Comme tu simplifies toujours tout, tu ouvres le Bottin des professions à Agences. Tu prends le premier encadré de noir; tu demandes une maison de campagne pour un mois. Pour te retrouver, j'ai fait la même chose. Seulement, c'était la deuxième agence. Pourquoi?

– Le premier numéro était occupé », dit Josée sombrement.

Bernard haussa les épaules, assez content de lui.

« J'y ai pensé. Quand on m'a dit qu'une jeune folle avait loué une maison normande non chauffée en octobre, j'ai été fixé. J'ai même pensé à venir te chercher.

– Et puis?

– Et puis, je n'ai pas osé. Ton départ avait été assez brutal. J'ai passé la nuit à sillonner New York, avec Alan. Nous étions jolis, au petit matin. Il a pensé à Air France, mais une heure trop tard.

– Qu'avez-vous fait?

– Nous avons pris le suivant. L'avion suivant. J'ai loupé mon émission à la Radio. C'est tout juste si j'ai pu emporter mes bagages.

– Alan est là? »

Elle s'était levée. Bernard l'obligea à se rasseoir.

« Ne prends pas la fuite. Il est là depuis quinze jours. Au Ritz, bien entendu. Il a mis Sherlock Holmes et Lemmy Caution sur ta piste...

– Sherlock Holmes, répéta-t-elle, c'est drôle, justement j'ai lu...

– Je suis moins malin que Sherlock Holmes, mais je connais tes habitudes. Aussi, je t'en supplie, fais quelque chose. Divorce ou fuis au Brésil. Mais ne me laisse pas Alan sur le dos. Il ne me quitte pas. Il a presque de l'amitié pour moi en attendant de me haïr si tu m'adresses la parole. Je n'en peux plus. »

Il se renversa sur le divan. Ils étaient dans un petit hôtel de la rive gauche où Josée avait longtemps habité. Elle le secoua brusquement.

« Tu ne vas pas te plaindre, non? Quinze

jours...! Moi, il y a dix-huit mois que je vis avec lui.

— Tu dois y trouver certaines compensations que je n'ai pas. »

Elle hésita et éclata de rire. Ce rire gagna Bernard et pendant deux minutes ils furent courbés sur le divan, gémissant et hoquetant, les yeux pleins de larmes.

« Tu es inouïe, suffoquait Bernard, tu es inouïe. Tu vas me reprocher ton mariage, moi qui étais fou amoureux de toi... Ah!... et qui le suis sûrement encore... Ah! ah!... et qui tiens ton époux par la main depuis quinze jours... ce n'est pas croyable...

— Tais-toi, disait Josée. Il faut que je m'arrête de rire. Il faut que je réfléchisse... J'ai voulu réfléchir à la campagne... Ah!... si tu m'avais vue... Je ne pensais à rien, je grelottais... et il y avait un chien charmant qui me bavait dessus... Ah! ah!... »

L'idée du chien leur donna un nouveau fou rire et ils finirent par se retrouver, exténués et cramoisis, l'un en face de l'autre. Bernard avait un mouchoir qu'ils partagèrent fraternellement.

« Qu'est-ce que je vais faire? » dit Josée.

A présent, Alan était dans la même ville qu'elle, peut-être tout près, et son cœur battait lourdement, devenait un objet précieux, encombrant, incontrôlable.

« Si tu veux divorcer, entame la procédure, c'est tout. Il ne te tuera pas.

— Ce n'est pas pour moi, c'est pour lui... Je ne sais pas.

— Je sais maintenant, dit Bernard. C'est un drôle de type. Quand je le quitte et que je pense qu'il se promène tout seul dans Paris, j'ai des frissons. Il m'a fait découvrir chez moi un instinct maternel que j'ignorais.

— Toi aussi? Moi, je...

— Mais ça ne me paraît pas suffisant pour faire un couple, dit Bernard sévèrement. C'est à toi de juger. En attendant, viens au cocktail de Séverin, tout à l'heure. Il n'y sera pas. Moi, il faut que je m'en aille. Il est au Ritz, si tu veux le joindre. Dévoré des yeux par quinze vieilles Anglaises. »

Josée s'accouda à la porte, désemparée, puis se jeta sur ses bagages. Cette occupation lui prendrait bien deux heures. Jusqu'au cocktail, elle n'aurait pas à réfléchir. Et au cocktail, elle trouverait bien quelqu'un plein de principes ou d'idées arrêtées qui la conseillerait.

« Décidément, je suis lâche, pensa-t-elle. C'est à moi de décider de ma vie. » Mais sa vie ressemblait à une mêlée confuse et humoristique, elle pensa au fou rire de Bernard et se sourit dans la glace. Puis elle se rappela la petite phrase qu'il avait glissée : « Moi qui étais fou amoureux de toi et le sùis sûrement en-

74

core... » Elle prit un cintre, y suspendit sa robe. Soigneusement. C'était une jolie robe, et qui lui allait bien. Oui, on l'aimait. Oui, elle ne faisait rien de ces amours. Elle grignotait dans la main des autres. Elle ne s'aimait pas.

Séverin donnait les cocktails les plus réussis du genre. Quelques personnes très riches, quelques personnes très drôles, deux acteurs étrangers, quelques personnalités du Monde des arts et des lettres, une proportion honnête d'homosexuels, de vieux amis. Bref, Josée retrouvait avec joie ce petit monde pourri, factice et creux, mais aussi le petit monde le plus vivant, le plus libre et le plus gai de toutes les capitales de la terre. Elle en connaissait beaucoup, ils la retrouvaient après deux ans comme s'ils l'avaient vue la veille, ils poussaient des cris de joie qui n'étaient qu'à demi exagérés, ils se jetaient à son cou et l'embrassaient selon cette manie française qui datait, disait Séverin, de la Libération.

Séverin avait cinquante ans, trop lu Huxley et se prenait pour un faune mondain. Son appartement était encombré de photos de femmes superbes que personne ne connaissait et sur lesquelles il était d'une discrétion inhabituelle. Il riait toujours un peu trop fort pour faire ressortir sa vitalité, et devenait fumeux avec l'aube, mais sa réelle générosité, sa gentillesse et la permanence de son whisky lui assuraient de vrais amis. Josée en était. Quand il l'eut embrassée six fois et proposé le mariage selon les rites, il l'emmena à l'écart, la fit asseoir sous une lampe et la regarda sévèrement.

« Montre-toi. »

Josée renversa la tête en arrière avec résignation. C'était une des prétentions les plus fatigantes de Séverin : il lisait tout sur les visages.

« Toi, tu as souffert.

– Non, non, Séverin. Tout va bien.

– Toujours aussi secrète, hein ? Tu disparais deux ans et tu reviens avec l'air aimable, sans rien expliquer. Où est ton mari ?

– Au Ritz », dit Josée, et elle se mit à rire.

« C'est le genre Ritz ? » dit Séverin, et il fronça les sourcils.

« Il y a dix personnes chez toi ce soir qui doivent y habiter.

– Ce n'est pas pareil. Ils ne sont pas mariés avec ma meilleure amie. »

Josée releva la tête, la lumière lui blessait les yeux.

« Ta meilleure amie a soif, Séverin.

– Je reviens. Ne bouge pas. Ne te mêle pas à cette foule immonde ; tu as passé deux ans en

Amérique, tu es comme une sauvage. Ils ne savent pas parler aux sauvages. »

Il émit son grand rire et disparut. Josée promena un regard attendri sur la foule immonde. Ils discutaient avec passion, ils éclataient de rire, ils changeaient d'interlocuteurs aussi rapidement que de sujet, ils parlaient français. Elle se sentit effectivement une sauvage. Deux ans sur une île perdue avec Alan et les lentes réflexions des Kinnel, deux ans à ne voir qu'un seul visage. Paris était bien agréable.

« Tu vois cette femme là-bas, dit Séverin en se rasseyant près d'elle, tu la reconnais?

— Attends... Non, je ne sais pas qui c'est.

— Elisabeth. Tu te rappelles? Elle travaillait dans un journal, j'étais fou d'elle...

— Mon Dieu! Mais quel âge a-t-elle?

— Trente ans. Elle en fait cinquante, non? C'est une des plus belles dégringolades que j'aie vues depuis ton départ. En deux ans. Elle s'est amourachée d'une espèce de peintre demi-fou, elle a tout plaqué pour lui, elle ne travaille plus; et elle boit. Car en plus, maintenant, il ne veut plus la toucher. »

La nommée Elisabeth, comme prévenue, se tourna vers eux et fit un petit sourire à Séverin. Elle avait le visage à la fois maigre et gonflé et un regard de bête malade.

« Tu t'amuses? cria Séverin.

— Je m'amuse toujours chez toi. »

« La passion, pensait Josée, le visage de la passion, bouffi et décharné, avec deux rangs de perles dessous. Dieu, que j'aime les gens... » Une espèce de vague la souleva; elle aurait voulu parler des heures à cette brusque vieille femme, la faire parler, tout savoir, tout comprendre. Elle aurait voulu tout savoir de chaque personne présente; comment ils s'endormaient, de quoi ils rêvaient, ce qui leur faisait peur, et plaisir et de la peine. Pendant une minute, elle les aima tous avec leurs ambitions, leur vanité, leur défense puérile et cette petite solitude qui tremblait au milieu de chacun sans jamais s'arrêter.

« Elle va mourir, dit-elle.

– Elle a essayé dix fois. Jamais suffisamment. Chaque fois, il sanglote et s'occupe d'elle pendant trois jours. Pourquoi veux-tu qu'elle se tue vraiment? Attends, voilà mon orchestre qui s'installe. Ils jouent le charleston comme personne. »

Le charleston était revenu à Paris, comme en 1925, – la gaieté en moins disaient les grognons tout en s'amusant bien. Le pianiste s'installa et ils commencèrent gaiement *Swannee*, ce qui fit tomber un peu les conversations. Le goût inopportun de Séverin pour les attractions à toute heure du jour était aussi connu que son scotch. Un jeune homme maigre vint s'asseoir près de Josée, se présenta et ajouta aussitôt :

« Je m'excuse, je ne vous ferai pas la conversation, j'ai horreur de ça.

– C'est idiot, dit Josée gaiement. Si vous n'aimez pas parler, n'allez pas dans les cocktails. Si c'est pour être original, ça ne marchera pas ici. Chez Séverin, il faut être gai.

– Je me fous d'être original », dit le jeune homme violemment, et il se mit à bouder.

Josée avait envie de rire. La fumée envahissait la pièce, le bruit était assourdissant, les gens criaient pour couvrir l'orchestre consciencieux et les verres vides jonchaient les tables. Elle aurait bien voulu que Bernard arrivât et lui donnât des nouvelles complémentaires d'Alan.

« Par pitié, hurla Séverin, pouvez-vous contenir un instant vos bavardages? Robin Douglas va chanter deux merveilleuses chansons qu'il m'a promises. »

En rechignant un peu, tout le monde s'assit et Séverin éteignit les trois quarts des lumières. Une silhouette trébucha et s'assit près de Josée. Le chanteur annonça tristement *Old man river*, quelqu'un cria « bravo », et il se mit à chanter. Comme il était Noir, les gens furent aussitôt persuadés de son talent et le silence complet se fit. Il chantait lentement, en bêlant un peu, et le jeune homme boudeur murmura quelque chose sur la nostalgie de l'âme noire.

Josée qui avait parcouru Harlem avec Alan se sentait moins enthousiaste et bâilla. Elle se renversa en arrière, jeta un coup d'œil sur son voisin de droite. Elle vit d'abord un soulier noir, très ciré, qui étincelait dans l'ombre, puis le pli d'un pantalon, puis sur ce pantalon, à plat, une main. C'était la main d'Alan. A présent, elle sentait son regard sur elle, elle n'avait qu'à tourner la tête pour le rencontrer mais quelque chose en elle s'affolait. L'idée stupide, bourgeoise, qu'elle l'avait quitté, qu'il avait des droits sur elle et qu'il allait les proclamer, faire une scène peut-être chez Séverin qu'il ne connaissait pas. Elle ne bougea pas. Près d'elle, contre elle, respirait doucement cet étranger, cet homme qui ne comprenait rien à cette soirée et que ce mauvais chanteur ennuyait sûrement aussi, cet amant qu'elle n'avait pas vu depuis un mois. Dans le noir, près d'elle, ne lui disant rien, n'osant peut-être rien lui dire : Alan. Et elle eut une seconde de désir si violent pour lui qu'elle remonta la main à sa gorge, brusquement, comme prise en flagrant délit. En même temps éclatait dans sa tête l'évidence que lui seul, étranger parmi ses pairs, ses amis à elle, Josée, lui était proche, non pas seulement physiquement mais par un passé indéniable, irrattrapable en cette seconde et qui réduisait à rien l'expression de gaieté, de liberté qu'elle avait eue dix minutes plus tôt

« Il chante mal », dit Alan à voix basse, et elle se tourna vers lui.

Alors leurs regards se rencontrèrent et se fixèrent l'un dans l'autre, gênés, éperdus, se reconnaissant et se niant à la fois, mélangeant l'amabilité, la fausse surprise, la rancune et la panique, chacun ne voyant de l'autre que cet éclat clair de l'œil, l'arête du visage trop connu et le frémissement maniaque et silencieux de la bouche. « Où étais-tu? – Pourquoi es-tu venu? – Comment as-tu pu me quitter? – Que me veux-tu encore? » tout cela remplaçant brutalement les paroles d'*Old man river* qui, heureusement, se terminait. Josée applaudit avec les autres en appuyant sur ce curieux geste –. frapper les mains l'une contre l'autre tandis que quelqu'un vous regarde en face –, geste ridicule qui ne signifiait rien pour elle (puisqu'elle n'aimait pas ce chanteur) sinon la volonté délibérée de se rallier aux autres, à sa famille, à ses compatriotes, même dans leur mauvais goût provisoire, et ainsi se libérer d'Alan, affirmer qu'elle avait repris sa place dans leur vie et que ce serait désormais la sienne. C'est alors que Séverin ralluma les lampes et qu'elle vit vraiment le visage si enfantin, si désarmé de son mari, non pas comme celui du cruel ravisseur mais d'un jeune homme honnête et malheureux.

« Comment es-tu ici?

– Je cherchais Bernard. Il m'avait promis de te retrouver.

– D'où sors-tu cette affreuse cravate? » reprit-elle avec un vif sentiment de bonheur, qui, la première panique passée, l'atteignait maintenant et l'empêchait de penser.

« Je l'ai achetée hier rue de Rivoli », dit Alan avec un léger rire dans la voix.

Ils continuaient à se parler de profil comme si le chanteur ne s'était pas tu et qu'un invisible spectacle se déroulait dans le salon.

« Tu as eu tort.

– Oui. »

Il dit « oui » à voix basse et elle ne sut pas s'il faisait allusion à autre chose. A nouveau les visages bougeaient devant elle, les conversations reprenaient mais il lui semblait être au spectacle, aussi coupée de ces gens qu'elle s'en était sentie proche une demi-heure plus tôt. Une marionnette ivre et gloussante passa devant eux, elle reconnut Elisabeth.

« Tu as aimé Robin? Il chante merveilleusement, non? »

Séverin se penchait vers elle. D'une voix distraite, elle lui présenta Alan qui se leva, serra la main de Séverin avec chaleur.

« Ravi de vous connaître, dit Séverin – il avait l'air gêné. Vous êtes à Paris pour longtemps? »

Alan balbutia quelque chose. Elle réalisa

qu'ils devaient partir au plus vite, s'expliquer ou ne pas s'expliquer mais que de toute manière cette soirée si facile devenait un terrible cauchemar. Elle se leva à son tour, embrassa Séverin, sortit sans se retourner. Alan était près d'elle, il ouvrait la porte, lui mettait son manteau, se taisait. Dehors, ils firent trois pas incertains avant qu'il ne se décide à lui prendre le bras.

« Où habites-tu?

— Rue du Bac. Et toi? Oui, je sais, au Ritz.

— Je peux te raccompagner? Je veux dire, jusqu'à ta porte?

— Bien sûr. »

Un vent léger balayait les rues. Ils partirent à pied, un peu trébuchants. Josée ne pensait strictement à rien, sauf : « Ce serait plus court par le boulevard Saint-Germain mais le vent doit être affreux. » Elle regardait avec une sorte de stupeur ses pieds se poser l'un devant l'autre, se demandait vaguement quand elle avait acheté ces chaussures et où.

« Ce qu'il chantait mal, ce type, dit la voix d'Alan.

— Oui. Il faut prendre à gauche maintenant. »

Ils obliquèrent avec ensemble. Alan retira son bras et une seconde elle se sentit parfaitement perdue.

« Tu vois, dit Alan, je n'y comprends rien.

– A quoi? »

Elle n'avait pas envie de parler. Elle ne voulait surtout pas qu'il lui parle d'eux ou de leur vie. Elle voulait rentrer, elle voulait bien faire l'amour avec lui, mais elle ne voulait pas parler. Cependant, il s'adossait à un mur, allumait une cigarette et restait appuyé au mur, les yeux ailleurs.

« Je n'y comprends rien, dit-il. Qu'est-ce que je fais ici? Encore trente ans à vivre ou plus, et puis? Quel sale tour on nous joue? Ça veut dire quoi, tout ce qu'on fait, tout ce qu'on essaie de faire? Un jour, je serai *rien*. Tu comprends ça : rien. On m'arrachera à la terre, on m'en privera, elle tournera sans moi. Quelle horreur! »

Elle le regardait, indécise, puis vint s'adosser au mur près de lui.

« C'est idiot, Josée, tu sais. Qui a demandé à vivre? C'est comme si on nous avait invités à passer le week-end dans une maison de campagne, pleine de trappes et de parquets glissants, une maison où nous chercherions en vain le maître de maison. Dieu ou n'importe quoi d'autre. Mais il n'y a personne. Un week-end, oui, pas plus. Comment veux-tu qu'on ait le temps de se comprendre, de s'aimer, de se connaître? Quelle est cette sinistre blague? Rien, tu te rends compte. Un jour, il n'y aura plus rien. Le noir. L'absence. La mort.

– Pourquoi me dis-tu ça? »

Elle tremblait de froid et d'une horreur instinctive devant sa voix rêveuse.

« Parce que je ne pense qu'à ça. Mais quand tu es près de moi, la nuit, que nous avons chaud ensemble, alors je m'en fiche. C'est le seul moment. Je me fiche de mourir; je n'ai qu'une peur, c'est que toi, tu meures. Bien plus important que n'importe quoi, que n'importe quelle idée, ton souffle sur moi. Comme un animal, je veille. Dès que tu te réveilles, je m'enfouis dans toi, dans ta conscience. Je me jette sur toi. Je vis de toi. Ah! quand je pense que tu as pris l'avion sans moi, qu'il aurait pu tomber, tu es folle! Tu n'avais pas le droit. Tu imagines : la vie sans toi? »

Il se reprit aussitôt :

« Je veux dire : la vie sans toi existant. Je comprends que tu ne veuilles plus de moi, je comprends que... »

Il aspira une bouffée de cigarette puis se détacha brusquement du mur.

« Non. D'ailleurs, je ne comprends rien. Quand je me suis assis près de toi et que tu ne m'as pas vu, quelques minutes, j'ai cru être drogué ou ivre mort. Pourtant, je n'ai rien bu, depuis longtemps. C'est vrai, non? »

Il la prit par le bras.

« Il y a quelque chose de vrai, non, entre nous?

– Oui », dit Josée. Elle parlait doucement,

85

elle avait envie de s'appuyer à lui et de le fuir. Oui, il y a quelque chose de vrai.

« Je m'en vais, dit Alan. Je rentre. Si je vais jusque chez toi, je monterai. »

Il attendit un instant mais elle ne dit rien.

« Tu viens me chercher à l'hôtel demain, reprit-il à voix basse. Très tôt. Tu jures?

– Oui. »

Elle aurait dit « oui » à tout, et les larmes lui vinrent aux yeux. Déjà, il se penchait vers elle.

« Ne me touche pas », dit-elle.

Elle le regarda s'éloigner, il courait et, bien qu'elle fût tout près de chez elle, elle héla un taxi.

Elle se coucha aussitôt. Elle tremblait de froid, de nervosité, de tristesse. Il avait dit exactement ce qu'il devait dire, il avait généralisé leur problème, il l'avait remise devant cette grande évidence nue : le temps, la mort, il lui avait montré le seul moyen de la tromper, hormis la foi, l'alcool, ou la bêtise. C'est-à-dire l'amour. « Je t'aime, tu n'es plus sûre de ne plus m'aimer, j'ai besoin de toi et qu'as-tu à perdre? » Oui, bien sûr, il avait raison. Mais cet animal furieux d'être repris, désespéré de s'être laissé émouvoir, c'était bien elle aussi. Cet animal si gai et si curieux au début du cocktail, si pitoyable envers cette Elisabeth, si passionné par la petite faune de Séverin, c'était bien elle aussi. Tout était devenu lointain, sans poids, sans intérêt, dès qu'elle avait aperçu, près d'elle, la main d'Alan. Il la coupait du monde. Non parce qu'elle l'aimait trop, mais parce qu'il n'aimait pas le monde et l'entraînait à sa suite, dans son vertige personnel, égocentrique... Lui, lui seul, elle ne devait voir que lui parce qu'il ne voyait qu'elle. Elle s'endormit d'un coup, exténuée, la tête contre le mur.

Le lendemain matin, il faisait beau, froid et venteux. En sortant, elle regrettait amèrement sa promesse d'aller au Ritz : elle eût aimé s'asseoir à la terrasse des Deux-Magots ou du Flore, retrouver de vieux amis, dire des bêtises en buvant des jus de tomate, comme avant. Retrouver Alan au Ritz lui semblait faire partie d'un scénario américain et factice, sans aucun rapport avec l'air qu'elle respirait ni avec sa démarche sur le boulevard Saint-Germain, tranquille et benoîte, résignée aux feux verts. Elle gagna la place Vendôme à pied, demanda la chambre d'Alan et ne reprit conscience d'elle-même, de lui, d'eux qu'en ouvrant la porte.

Il était courbé, les épaules nues avec un vieux foulard rouge autour du cou. Le plateau du petit déjeuner gisait au pied du lit et elle pensa avec agacement qu'il aurait pu faire un effort pour la recevoir. En somme, elle l'avait quitté volontairement, elle le revoyait et venait chez lui pour envisager le divorce. Cette tenue légère ne convenait pas à une discussion de cet ordre.

« Tu as une mine merveilleuse, dit-il. Assieds-toi. »

Elle s'assit sur un fauteuil inconfortable qui lui laissait le choix entre se crisper au bord ou se vautrer. Elle choisit la première solution.

« Heureusement que tu n'as pas un sac à main et un chapeau, dit-il d'un air moqueur, je croirais que tu viens quêter le reste de mes œufs au bacon.

— Je viens quêter le divorce », dit-elle sèchement.

Il éclata de rire.

« De toute façon, ne prends pas l'air si féroce. Tu as l'air de... d'un enfant. En fait d'ailleurs, tu n'as jamais quitté ton enfance, elle marche près de toi, tranquille, pudique, lointaine, comme une double vie. Tes essais pour te rapprocher de la vraie vie sont bien infructueux, hein, mon chéri? J'en discutais avec Bernard...

— Je ne vois pas ce que Bernard vient faire ici. Mais je lui en parlerai. De toute manière...

— Et tu lui tireras les oreilles. Et il t'expliquera que tu es la personne la plus humaine qu'il connaisse. »

88

Elle soupira. Parler ne servirait à rien. Elle n'avait qu'à quitter cet hôtel. Cependant la gaieté d'Alan, son sourire l'inquiétaient vaguement.

« Quitte ce fauteuil et viens là, dit-il. Tu as peur?

— Peur de quoi? »

Elle s'assit sur le lit. Ils étaient tout près l'un de l'autre et elle voyait ses traits s'amollir imperceptiblement, ses yeux se troubler. Il étendit la main, prit la sienne, la posa sur un pli du drap.

« J'ai envie de toi, dit-il. Le sens-tu?

— La question n'est pas là, Alan... »

Le foulard rouge lui balayait le visage, il la renversait contre lui, elle ne distinguait plus que la blancheur du drap et son cou hâlé, marqué déjà d'une ride bien nette.

« J'ai envie de toi, reprit-il.

— Je suis tout habillée, toute fardée, toute sérieuse. Je peux à peine respirer. Ton entrain me flatte mais j'ai à te parler. »

Cependant, elle retrouvait machinalement un geste caressant et il haletait un peu contre elle, s'énervait sur sa jupe, et finalement elle le laissait faire, se demandant encore si elle cherchait à se rendormir après une mauvaise nuit ou à retrouver un contact d'homme près d'elle. Très vite, ils furent nus sur le lit, pressés, épuisés, en proie à cette imagination physique qu'est parfois l'amour, se demandant les larmes aux yeux ce qui avait pu les séparer si longtemps, écoutant et se répétant cette plainte du corps si violente et néanmoins insuffisante, transformant le jour tranquille de la place Vendôme en une série syncopée d'ombres et de lumières, et le lit de bois sculpté en radeau.

Après, ils restèrent immobiles un moment, chacun essuyant la sueur sur le corps de l'autre, d'un geste tendre. Déjà elle s'en remettait à lui.

« Demain, je nous chercherai un appartement », dit enfin Alan.

Elle ne broncha pas.

« Moi, je me trouvais beaucoup mieux à Key-West, avait dit Alan. Mais toi pas. Pour le moment, il te faut des gens. Tu as envie de voir des gens, tu crois aux gens. Très bien. Voyons des gens, tes gens, tu me diras ceux qui sont intéressants. Quand tu en auras assez, nous repartirons dans un endroit tranquille. »

Elle l'avait écouté, la tête penchée, prenant l'air penaud de la femme frivole avant de lui répondre :

« Excellente idée. Et quand nous repartirons dans un endroit tranquille, tu te rappelleras le nom de mes gens, comme tu dis, tu me poseras des questions et tu me diras : « Pourquoi as-tu

« offert des chips à Séverin le vendredi 9
« octobre Couchais-tu avec? »

Il avait jeté son verre par terre, dans un de
ses rares moments d'enfantillage et la femme
de chambre, nouvellement engagée, avait
déclaré que si ça devait être tout le temps
comme ça, elle ne resterait pas longtemps, etc.
Finalement leur appartement était très agréable quoique mansardé d'une façon qui évoquait plus la bohème vue par Hollywood que
les vieux quartiers de Paris. Josée y avait
installé trois meubles confortables et relativement beaux, un piano et un gigantesque élec-
trophone. Ils y avaient passé un premier matin
agréable couchés dans une chambre vide – à
part le lit, une lampe et un cendrier – à écouter
un enregistrement superbe de Bach qui les
avait rendormis. Les jours suivants se passèrent chez les antiquaires et au marché aux
puces, plus quelques soirées où Josée amenait
Alan, comme une chatte trimbale son petit, du
bout des dents, par la peau du cou, prête à
déguerpir avec lui au moindre danger. Telle
était du moins la comparaison qu'avait établie
Bernard. « Sauf que les chattes font ça par
amour, avait-il ajouté méchamment, et toi par
respect humain. Peur qu'il s'enivre, peur qu'il
soit désagréable, peur qu'il fasse des scènes. »
Mais Alan jouait au contraire un rôle de jeune

mari américain naïf et ébloui, avec une telle ostentation que Josée était partagée entre la fureur et le rire.

« Vous savez, dit Alan à Séverin enchanté, je suis tellement content que vous me serviez de guide. En Amérique, nous sommes tellement loin de l'Europe, de la France surtout, si raffinée, si subtile en tout. Je me fais l'effet d'un lourdaud chez vous et j'ai peur de gêner Josée. »

Ce petit discours modeste, joint à son physique, lui valait tous les cœurs. On en voulait presque à Josée de ne pas le mettre plus à l'aise. Pour elle, qui entendait ces cœurs disséqués par Alan tous les soirs avec une férocité froide, cela devenait comique et triste à la fois, comme une erreur judiciaire. Néanmoins, en plus de Bernard, quelques-uns de ses amis avaient entendu rire Alan par moments, avaient surpris ses réflexions et le regardaient avec une sorte de méfiance doublée de sympathie, assez proche en somme des sentiments qui, en moins mesuré, partageaient le cœur de Josée; et de ce fait la rassuraient confusément.

Il avait été convenu entre eux, au cours de la longue et bâtarde discussion qui avait suivi la matinée du Ritz, matinée qu'ils ne se sentaient ni l'un ni l'autre la force d'appeler autrement que réconciliation, il avait été convenu entre eux qu'ils repartaient sur de nouvelles bases, mots destinés à sanctionner le départ de Josée, leur séparation et leurs retrouvailles. Non qu'ils crussent beaucoup l'un ou l'autre à ces termes, mais c'était une sorte de coup de chapeau qu'ils rendaient d'un commun accord, lassés de leurs propres fantaisies, aux lois sociales, aux conventions de l'époque et aux mœurs de leur milieu. En même temps que cette lassitude, ils ne pouvaient admettre, plus profondément, que ce départ, douloureux pour eux deux, ces quinze jours un peu égarés et cette soirée surtout où ils s'étaient retrouvés et dont chacun gardait un souvenir excessivement romantique – le vent, le chanteur noir, la surprise, la peur – que tout cela ne correspondît pas à une décision. En fait, pour Alan, c'était : « Tu admets que je doive partager toute ta vie », et pour Josée : « Tu admets que tu n'es pas toute la vie. » Mais cela, ils ne se l'étaient pas dit. Simplement : « Nous sommes libres, nous nous mêlons au monde, nous essayons de nous y mêler à deux. »

Seulement, plus rien n'avait de sel. Où qu'elle fût, le regard d'Alan la suivait, évaluait ses interlocuteurs, il lui semblait entendre chez lui une petite mécanique inlassable se livrer à des recoupements, des imaginations, des calculs dont elle n'aurait le soir qu'un faible écho, car il craignait qu'elle ne le fuît à nouveau, mais dont elle était sans cesse consciente, à tel point qu'il lui arrivait de se retourner d'un coup pour le surprendre en délit de surveillance, rarement à tort. En dehors de ça, il y avait le lit et elle s'étonnait que cela existe encore, que cela survive à sa fatigue. La nuit, ils retrouvaient ensemble ce trouble, cette hâte, cet essoufflement, convertis dès leur réveil en une double méfiance. Sans doute elle ne restait pas à cause de ça, mais serait-elle restée sans ça?

En attendant, ils s'installaient peu à peu dans leur nouvelle vie, matinées interminables, déjeuners légers, après-midi consacrés aux courses ou aux musées, dîners avec les vieux amis de Josée. Alan bien sûr ne travaillait pas. Ils menaient une vie de touristes et cela ne contribuait pas peu à donner à Josée cette impression de provisoire, d'irréel qu'Alan entretenait complaisamment, attendant qu'elle n'en puisse plus et qu'il l'emmène ailleurs. Ailleurs, où ils seraient seuls. En attendant, il se montrait aimable, de cette amabilité qu'on réserve parfois aux caprices d'autrui. Seulement ce caprice, elle le savait, était sa vie.

Bernard les voyait souvent. Il avait compris le jeu et essayait par tous les moyens d'appuyer Josée, de lui rendre Paris, de recréer ses charmes, de la mêler aux gens. Mais il lui semblait plus souvent lutter avec une sourde-muette acharnée à se mêler à une conversation qu'aider une jeune femme libre et intéressée. Il voyait son regard subitement bifurquer, fouiller un salon, se heurter à celui d'Alan et revenir vers lui, soucieux, chargé d'une sorte de colère impuissante. Il lui semblait finalement que le seul acte d'indépendance qu'elle ait accompli fût cette aventure grotesque avec un pêcheur de squales. Le jour qu'il le lui dit, elle détourna la tête et se déroba.

« C'est comme si tu menais une vie double, dit-il, une autre vie te suit partout si proche de l'enfance que tu ne peux t'y arracher, une vie où tu es irresponsable et punie à la fois, toujours liée à des gens qui te jugent et auxquels tu donnes le droit de te juger, uniquement parce que tu peux les faire souffrir. »

Elle secoua la tête, l'air absent. C'était chez Séverin, ce soir-là aussi, et ils étaient au milieu d'une telle cohue qu'ils pouvaient enfin parler tranquillement.

« Alan m'a déjà dit ça, l'autre jour, vous êtes d'accord. Mais qu'as-tu à m'offrir d'autre ? dit-elle.

— Moi...? » Il hésita à dire « tout », puis pensa que c'était un mot d'auteur. « Moi ? Il ne s'agit pas de moi. Il s'agit que tu es malheureuse et prisonnière. Et que ça ne convient pas à ton genre.

— Qu'est-ce qui convient à mon genre ?

— N'importe quoi que tu ne subisses pas.

Parce qu'il t'aime d'une manière encombrante, ça te paraît une chose positive. Ça ne l'est pas. »

Elle prit une cigarette, l'alluma au briquet qu'il lui tendait, sourit.

« Je vais te dire. Alan est persuadé que chaque être humain patauge dans sa boue originelle, que rien ne peut l'en tirer, et surtout pas les gestes vagues et les mots incompréhensibles qu'il s'évertue à faire ou à prononcer chaque jour. En ce sens, il est lui-même irréductible, incommunicable.

– Et toi ? »

Elle s'appuya au mur, subitement détendue, parlant si bas qu'il dut se pencher pour l'entendre :

« Moi, je ne crois pas à cette nullité. Cette sorte de pathétique m'assomme. Personne n'est noyé. Je crois que chaque homme dessine sa vie à grands gestes volontaires, d'une manière éclatante et définitive. Je ne suis pas sensible à la grisaille. Je vois des sentiments lyriques partout, qu'ils s'appellent l'ennui, l'amour, le cafard ou la paresse. Bref... »

Elle posa la main sur la main de Bernard, la serra et il comprit qu'elle avait pour une minute complètement oublié le regard d'Alan.

« Bref, je ne crois pas que nous soyons des numéros. Mais plutôt des animaux vivants, des animaux lyriques. »

Il serra sa main entre les siennes, la garda. Elle ne se dégagea pas. Il avait envie de l'embrasser, de la serrer contre lui, de la consoler. « Mon doux animal, murmura-t-il, mon petit animal lyrique », et elle se décolla doucement du mur et l'embrassa tranquillement, au milieu des gens. « Si cet imbécile arrive en braillant, pensa-t-il, les yeux fermés, si cet obsédé s'en mêle, je l'assomme. » Mais déjà elle n'avait plus ses lèvres contre les siennes et il apprit ainsi qu'on pouvait embrasser quelqu'un sur la bouche en pleine soirée sans que quiconque le remarque.

Elle le quitta aussitôt. Elle ne savait pas pourquoi elle l'avait embrassé mais n'en ressentait nulle gêne. Il y avait eu quelque chose d'irrésistible dans le regard qu'il posait sur elle, une telle expression de tendresse, d'acceptation, qu'elle avait tout oublié. Elle était mariée à Alan, et Bernard à Nicole, elle ne l'aimait pas mais peut-être n'avait-elle jamais été plus proche de quelqu'un qu'en cette minute. Il lui semblait qu'elle ne supporterait pas une réflexion d'Alan à ce sujet, si par hasard il les avait vus, mais en même temps elle savait bien qu'il ne les avait pas vus. Que c'était pour lui une vision si inacceptable que quelque chose avait dû la lui éviter. « Je commence à croire au destin », pensa-t-elle et elle se mit à rire.

« Je te cherchais, dit Alan. Figure-toi que j'ai

rencontré un type avec qui j'avais appris à peindre, à l'Université. Il vit ici. J'ai bien envie de retravailler avec lui.

– Tu peins? » Elle était abasourdie.

« J'aimais beaucoup ça, à dix-huit ans. Et puis, c'est une occupation, non? L'appartement est installé, je vois mal comment occuper mes journées puisque je ne sais rien faire de pratique. »

Il ne semblait pas spécialement sarcastique mais plutôt enthousiaste.

« Rassure-toi, dit-il, et il la prit par les épaules et la serra contre lui, je ne te demanderai pas de mélanger les couleurs à ma place, tu iras te promener avec tes vieux amis, ou plutôt seule, car quand même...

– Tu as du talent? »

« Je suis peut-être sauvée, pensa-t-elle. Il va peut-être s'intéresser à quelque chose d'autre que lui ou moi. » En même temps, elle s'en voulut de tout ramener à elle.

« Je ne pense pas, non. Mais je sais dessiner convenablement. Demain je commence. Je prendrai la chambre vide, au fond.

– Tu n'y verras rien.

– Je ne sais quand même pas peindre ce que je vois, dit-il, et il éclata de rire. J'enverrai ma première œuvre à ma mère, elle la montrera au psychiatre de la famille, ça l'amusera sûrement. »

Elle le regardait, indécise. Il la relâcha.

« Tu n'es pas contente? Je croyais que tu aimerais que je fasse quelque chose tout seul.

— Je suis très contente, dit-elle. C'est très bon pour toi. »

Par moments, il lui prêtait les réflexes de sa mère. Et effectivement, elle finissait par en avoir le ton.

« Ça va? »

Elle ouvrait la porte, passait la tête. Alan avait gardé ses impeccables costumes bleu foncé, même pour peindre, et accueilli avec horreur les suggestions de Séverin qui voyait surtout les peintres en chandail et pantalon de velours. En fait, il n'y avait pas beaucoup d'ambiance artistique dans la chambre du fond. Simplement un chevalet éloigné de la fenêtre, une table couverte de tubes bien rangés, quelques toiles blanches sur une étagère et, au milieu de la pièce, un jeune homme bien habillé qui fumait distraitement, assis sur une chaise capitonnée. On avait l'impression qu'il attendait la peinture. Néanmoins depuis quinze jours, il passait là tous ses après-midi, ressortait sans une tache et sans une trace de fatigue mais d'excellente humeur. Josée restait perplexe, mais que ce fût une plaisanterie ou pas, elle avait quatre heures de solitude tous les jours, ce qui n'était pas rien.

« Ça va. Qu'as-tu fait?

– Rien. Je me suis promenée. »

Elle disait la vérité. Après le déjeuner, elle partait en voiture, roulait doucement dans les rues et s'arrêtait quand il lui plaisait. Elle avait trouvé un square qui lui convenait particulièrement, à cause de la forme tendre d'un arbre, et y passait souvent une heure, sans descendre de voiture, à regarder les rares passants, et le vent dans les branches desséchées par l'hiver. Elle rêvait, allumait une cigarette, écoutait la radio, parfois, immobile, comme morte à elle-même, envahie d'un plaisir très doux. Elle n'osait pas en parler à Alan, il eût été peut-être plus jaloux que si elle avait vu quelqu'un. D'ailleurs elle n'avait envie de voir personne. Elle repartait plus tard, toujours doucement, au hasard. Peu à peu, l'après-midi finissait et elle sentait s'appesantir la nécessité de revenir auprès de lui, avec une sorte de soulagement d'ailleurs, comme s'il eût été le seul lien qui la rattachât à la vie. Dormir, rêver... elle eût aimé passer sa vie sur une plage à regarder la mer, ou dans une maison de campagne à respirer l'herbe, ou au bord de ce square, une vie à rêver, seule, le temps suspendu à sa seule conscience.

« Quand me montreras-tu quelque chose?

– Dans une semaine peut-être. Pourquoi ris-tu?

– Tu as tellement l'air en visite. On parle toujours des gens qui se collettent avec la peinture...

– Je ne connaissais pas ce mot en français : « collettent ». C'est vrai, j'ai horreur de me salir les mains et c'est très dur pour peindre. J'ai soif, pas' toi?

– Si. Pendant que tu enlèves la miette de rouge vermillon sur ton index, je vais te préparer un dry martini. La femme du peintre, parfaite et empressée...

– Je voudrais que tu poses pour moi. »

Elle fit semblant de ne pas entendre et referma la porte, très vite. Il la rejoignit plus tard mais ne répéta pas sa phrase. Il buvait moins d'ailleurs depuis qu'il peignait, et semblait même faire des efforts pour s'installer dans la maison autrement que dans un hôtel.

« Où t'es-tu promenée?

– Dans les rues. J'ai pris une tasse de thé sur une petite place, près de la Porte d'Orléans.

– Seule?

– Oui. »

Il souriait. Elle le regarda sévèrement. Il émit un petit rire.

« Tu ne me crois pas, j'imagine.

– Si, si. »

Elle faillit dire : « Pourquoi? » et se retint. En fait, cette absence de questions l'étonnait. Elle se leva.

« J'en suis contente, je veux dire : que tu me croies. »

Elle avait parlé tendrement. Il rougit soudain et sa voix monta.

« Tu es contente que ma jalousie maladive aille mieux. Tu es contente que mon petit cerveau tourne plus rond. Tu es contente que j'aie enfin une activité comme tout homme digne de ce nom, même si ça consiste à bar bouiller des toiles, c'est ça? »

Elle ne répondit pas. La crise commençai'.. Elle se laissa tomber dans un fauteuil :

« Mon mari ressemble enfin à un mari, il me « fiche la paix quatre heures par jour. » C'est ce que tu penses. « Il salope des toiles que des « pauvres types pleins de talent ne peuvent « peut-être pas s'acheter, mais moi, je suis « tranquille. » Hein?

— Je suis contente de te voir enfin des soucis sociaux. De toute façon, tu n'es pas le seul à bar bouiller des toiles, si tu ne sais que barbouiller.

— Je ne fais pas que barbouiller. Je fais un peu mieux. C'est en tout cas aussi bien que de rester des heures dans une voiture à regarder un square.

— Je ne te reproche rien, dit-elle, mais elle s'arrêta. Comment sais-tu que je... que... mon square...?

— Je te fais suivre, dit-il. Qu'est-ce que tu crois? »

102

Elle le regarda, sidérée. Ce n'était pas de la colère qu'elle ressentait mais plutôt une horrible tranquillité. Allons, rien n'avait changé, la vie continuait.

« Tu me fais suivre? Tout l'après-midi? Est-ce que tu peins, seulement? »

Elle éclata de rire. Il était livide. Il l'attrapa par le bras, la traîna derrière lui, elle pleurant de rire. « Ce pauvre détective, disait-elle, ce qu'il doit s'ennuyer! » Il l'amena jusqu'à la chambre du fond.

« Voilà ma première toile. »

Il retourna un tableau. Josée n'y connaissait pas grand-chose mais ça ne lui parut pas mal du tout. Elle s'arrêta de rire.

« C'est bien, tu sais. »

Il rejeta le tableau contre le mur, la regarda un instant, indécis.

« A quoi penses-tu, toutes ces heures, seule, dans la voiture? A qui? Dis-le-moi. Je t'en prie. »

Il la serrait contre lui. Elle était prise de dégoût et de pitié à la fois.

« Pourquoi me fais-tu suivre? Tu sais que c'est très démodé, et très mal élevé? Ce pauvre garçon doit haïr ce square. »

Le rire la reprenait. Elle se mordit la lèvre.

« Dis-moi à quoi tu penses?

— Je pense... je ne sais pas. Sincèrement, je ne

sais pas à quoi je pense. A cet arbre, à toi, aux gens, à l'été...

– Mais penses-tu précisément...? »

Elle se dégagea brusquement; elle n'avait plus envie de rire.

« Lâche-moi. Tu as l'air, je ne sais pas, tu as l'air obscène avec tes questions. Je ne pense à rien. Tu m'entends, à rien! »

Elle claqua la porte et sortit en courant. Elle revint une heure après, calmée, pour le trouver ivre mort.

Ils étaient tous les trois dans le petit salon, enfin doté d'un divan et de deux fauteuils. Josée allongée sur le divan, les deux hommes parlant au-dessus de sa tête. L'après-midi finissait.

« Bref, dit Bernard, elle est éperdument amoureuse de toi, mon cher Alan.

– Ça me fait assez plaisir, dit Josée nonchalamment. Elle a été assez méchante avec assez de gens.

– Je ne vois pas qui c'est, dit Alan d'un air dégoûté.

– Laura Dort? On a dîné avec elle, il y a dix jours, chez Séverin. Cinquante ans, à peu près. Elle a été très belle, elle n'est pas mal encore. Elle reçoit le jeudi.

– Cinquante ans? Tu exagères, Josée. A peine quarante. Et elle est très, très bien.

– De toute manière, je n'en ai rien à faire, dit Alan. Je ne pense pas que ça te rendrait jalouse, si?

– Hé, hé... dit Josée en souriant. Sait-on jamais? En tout cas, ça nous changerait. »

Bernard éclata de rire. Ils avaient pris l'habitude de plaisanter la jalousie d'Alan comme une petite manie dans le vain espoir de l'atténuer. Alan riait aussi sans changer le moins du monde, ce qui les déconcertait.

« Alors vous venez chez elle après dîner ou pas? Il faut que je m'en aille.

– Nous verrons, dit Alan. Nous irons voir un film d'épouvante avant et on te rejoint. »

Bernard parti, ils discutèrent un moment de Laura Dort que Josée connaissait bien. Elle avait un mari commode, dans les affaires, et une passion maladive pour la même faune que Séverin. Elle avait eu deux ou trois amants bien placés, sans trop de scandale, et fait souffrir quelques autres sans trop de ménagements. C'était le genre de femme toujours aux aguets qui rendait Josée muette. Mais par curiosité, elle en dit assez de bien à Alan. Au reste, c'était une femme intelligente, souvent assez drôle, et que Josée ne mésestimait pas.

Ils arrivèrent à minuit chez elle, de bonne humeur après un film atroce, et Laura Dort leur fit un accueil triomphant. Elle était grande, rousse, plantureuse, mais avec un visage de chat, et Josée s'étonna de ressentir une vague appréhension. Alan prit sa tête d'Américain ébloui et maladroit, fut tout de suite happé et Josée, voyant Bernard occupé, se dirigea vers un vieil ami « d'avant », les présentations une fois terminées dans le style : « Vous connaissiez la petite Josée? » et « Voici Alan Ash. » Bernard s'approcha d'elle, un peu plus tard.

« Je crois que ça marche très bien.

– Quoi?

– Laura et Alan. Regarde. »

Ils étaient debout au fond du salon, elle le fixant avec une bizarre expression tandis qu'il racontait en souriant le film qu'ils venaient de voir. Josée sifflota doucement.

« Tu as vu son regard, à elle?

– Ça s'appelle la passion. La passion chez Laura Dort. Le coup de foudre, mon chéri.

– La pauvre..., dit Josée.

– Ne sois pas si rassurée, ça m'énerve. Et si tu veux mon avis, simule la jalousie, tu pourras respirer. Ou éprouve-la, sait-on jamais... »

Elle sourit. Elle ne se voyait pas ainsi soulagée de son mari, en le laissant dans les bras un peu fanés de Laura. Elle eût préféré qu'il peignît. Elle n'envisageait pas de le quitter et encore moins de continuer à vivre avec lui. Depuis son arrivée à Paris, il lui semblait être sur une corde raide, dans une sorte de trêve où elle s'engourdissait, aussi loin du bonheur que

106

de ce désespoir qu'elle avait goûté à Key-West.

« Solution boiteuse, murmura-t-elle pour elle-même.

– Souvent les meilleures », dit Bernard.

Puis il ajouta d'une voix hésitante :

« Car si je comprends toujours bien, tu souhaites te débarrasser de lui ? Mais sans drame. C'est bien ça ?

– Je crois, oui, dit-elle. Je ne sais plus très bien ce que je souhaite, sinon la paix.

– C'est-à-dire quelqu'un d'autre. Or, tu ne trouveras jamais quelqu'un d'autre tant qu'il sera là. Tu le sais ? »

« Je ne sais pas très bien ce que tu veux toi », pensa-t-elle. Mais elle se tut. Alan approchait, suivi de Laura. « Les femmes mûres ne lui vont pas, pensa Josée, il est trop beau, il fait gigolo. »

« J'ai supplié votre mari de venir passer le week-end à Vaux, dans ma maison de campagne. Il a l'air prêt à accepter. Sa réponse dépend de vous. Je suis sûre que vous aimez toujours autant la campagne, non ? »

« Allusion à qui ? pensa Josée très vite. Ah ! oui, ce séjour chez elle avec Marc, il y a quatre ans. » Elle sourit.

« J'adore la campagne. Je serais ravie.

– Ça lui fera du bien, dit Alan en se tournant vers Laura, elle est pâle en ce moment.

107

– A son âge, on devrait toujours avoir bonne mine », dit Laura gaiement.

Elle reprit le bras d'Alan et l'entraîna. Bernard se mit à rire.

« Vieille tactique. « Josée est une enfant. « Cher ami, nous qui sommes de grandes personnes », etc. Tu auras une bouillotte dans ton lit, à Vaux. Et on te fera jouer aux cartes avec le vieux Dort.

– Je crois que je vais m'amuser assez, dit Josée. J'adore les cartes, les bouillottes et les vieux messieurs. Et les perfidies des femmes m'enchantent. »

En rentrant, Alan déclara d'un ton docte que cette femme était très cultivée, et savait recevoir.

« Je trouve bizarre, dit Josée, que parmi tous les gens que je t'ai montrés et qui sont parfois un peu détraqués, je le concède, tu n'aies d'estime que pour celle qui manque des qualités principales.

– Quelles sont les qualités principales, d'après toi? »

Il était de bonne humeur. Laura Dort avait dû le couvrir de compliments et Josée pensait qu'elle avait été bien naïve de l'y croire insensible. Même chez les hommes détachés comme lui, il devait traîner un solide fonds de vanité masculine.

« Les qualités principales...? Je ne sais pas

exactement. Si tu veux, l'humour et le désinté-ressement. Elle n'a ni l'un ni l'autre.

– Moi non plus. Il est vrai que je suis Amé-ricain.

– C'est sûrement ce qui lui plaît. Pense à prendre ta robe de chambre écossaise demain pour les petits déjeuners. Tu as l'air d'un jeune cowboy dedans, elle sera aux anges. »

Il se retourna vers elle.

« Si ce week-end t'ennuie, nous n'irons pas, tu sais. »

Il avait l'air ravi. « Je devrais lui jouer la scène de jalousie, pensa Josée, Bernard a rai-son. » Elle se démaquilla et se coucha avec un air contrarié. « Je n'arriverais jamais à être aussi insupportable que lui », pensa-t-elle avant de s'endormir et elle sourit dans le noir.

La maison de Vaux était une longue ferme, arrangée en maison de campagne anglaise par un décorateur à la mode, meublée de divans profonds en cuir et de ces tissus grossiers aux prix exorbitants qui faisaient fureur. Arrivés vers cinq heures, ils avaient fait une longue marche dans la propriété – « Mon vrai refuge », avait dit Laura, l'air grave, en renversant ses cheveux roux sous les arbres. Ils avaient mangé les inévitables œufs à la coque – « Je peux vous jurer qu'ils ne sont pas d'hier », avait dit Laura en secouant ses cheveux roux vers ses invités –

et en cet instant, ils goûtaient le marc du pays –
« Ça vaut tous les whiskies du monde », était
en train de dire Laura, faisant briller ses cheveux roux aux lueurs du feu de bois. Josée,
installée sur le divan, se demandait combien de
temps leur hôtesse supporterait d'être ainsi
accroupie comme Gigi devant la cheminée,
tendant vers les flammes ses ongles vernis et
un visage extatique. En dehors d'eux, étaient
invités un jeune peintre taciturne, deux jeunes
femmes bavardes, et – apparemment – le mari
de Laura. Il était petit, maigre, avec des yeux
bleus derrière des lunettes et semblait hésiter,
chaque fois, à prendre une cigarette dans la
boîte d'Hermès. Alan, détendu, parlait de New
York avec une des jeunes femmes et Josée,
bâillant un peu, se décida à passer dans la
bibliothèque à côté. « Ici, chacun est chez soi,
avait proclamé Laura, je déteste les maîtresses
de maison qui s'imposent à leurs invités. » Sur
ces bonnes paroles, Josée fouilla les rayons
encombrés d'une superbe édition de Lesage et
des Lettres de Voltaire, soigneusement épous-
setées, et se plongea dans un roman policier.
Au bout de dix minutes, elle lâcha son livre,
ferma les yeux. Cinq ans auparavant, elle était
dans cette pièce, avec des amis et son amant
d'alors; ils étaient venus de Paris un peu vite en
voiture, quatre ou cinq entassés dans la vieille
MG de Marc car ils ne se déplaçaient qu'en

110

bande à cette époque. Ils avaient plaisanté toute la nuit et Marc faisait la tête parce qu'il avait envie d'elle. Elle avait de bons amis, jaloux et tendres, ils n'imaginaient pas que la vie puisse les séparer et qu'un jour quelque chose leur apparaîtrait plus important que ces rires et cette confiance mutuelle. Elle se demanda pourquoi ces souvenirs étaient tous si gais et si douloureux à la fois, lui oppressant le souffle comme une menace, et elle se leva brusquement de son fauteuil. Elle aperçut alors le mari de Laura, allongé sur un canapé, qui sursauta en la voyant. Il n'avait pas dit un mot de la soirée sauf une petite phrase rapide, alors qu'Alan venait de déclarer son indifférence complète en matière de politique : « Si on ne s'intéresse pas au monde autour de soi, on ne devient jamais un homme », phrase noyée rapidement dans le brouhaha général. Elle lui sourit et l'empêcha d'un geste de se lever. Il bredouilla :

« Je ne vous avais pas vue. Voulez-vous boire quelque chose ? »

Elle refusa de la tête :

« Je n'en pouvais plus de la fumée à côté. C'est vous qui lisez Lesage ? »

Il sourit à son tour et haussa les épaules.

« C'est le décorateur qui les a mis là. Il paraît que la reliure est très belle. J'imagine qu'un jour d'hiver, avec une bonne pipe et un chien fidèle, je pourrai les lire enfin. Je n'ai pas eu le temps.

– Le travail?

– Oui. Je fais des comptes toute la journée, je réfléchis, je téléphone. Heureusement que nous avons ce refuge à la campagne pour nous reposer des frénésies de la ville.

– Laura dit en effet que c'est son seul refuge.

– Oui? »

Il y avait un côté si sarcastique dans son « oui » qu'elle éclata de rire.

« Ici, nous avons le temps de penser à nous-mêmes, récita-t-il, de voir passer le temps. Il y a les champs où personne ne s'allonge. Les fleurs que le jardinier coupe, l'odeur de la terre qui peut rendre mélancolique, l'automne. »

Elle s'assit près de lui. Il avait la figure d'un petit garçon de soixante ans, à la fois joufflu et ridé. Derrière ses lunettes, ses yeux étaient brillants.

« Ne faite pas attention, j'ai dû boire trop de cognac. Chaque fois que ma femme reçoit, je bois trop de cognac pour oublier le goût de ces maudits œufs à la coque que nos poules pondent quotidiennement. Nos poules viennent du Yorkshire, figurez-vous. Il paraît que c'est la meilleure race. »

« Il est très soûl ou très malheureux, pensa Josée, ou c'est un gai humoriste. » Elle choisit instinctivement la dernière solution.

« Les invités de Laura vous ennuient beaucoup?

— Pas du tout. Je ne suis généralement pas là. Je voyage énormément. Par exemple j'ai entendu parler de vous il y a cinq ans et je ne vous avais jamais vue. Je le regrette d'ailleurs, car vous avez énormément de charme. »

Il ajouta à sa dernière phrase un petit salut de la tête et ajouta précipitamment :

« Votre mari est très bel homme aussi. Vous devez avoir de très beaux enfants.

— Je n'ai pas d'enfants.

— Vous en aurez de très beaux.

— Mon mari n'en veut pas », dit Josée avec brusquerie.

Il y eut une seconde de silence. Elle regrettait sa phrase et la confiance un peu rapide que lui inspirait cet homme.

« Il a peur que vous ne les lui préfériez, dit-il fermement.

— Pourquoi dites-vous cela?

— C'est évident. Il ne regarde que vous, comme ma femme ne regarde que lui et comme vous regardez en l'air.

— Joli trio, dit-elle sèchement.

— Joli quatuor si vous admettez que je ne regarde que les cours de la Bourse. »

Ils se dévisagèrent et ne purent s'empêcher de rire.

« Ça vous est égal? dit Josée.

113

– Madame, je suis arrivé à l'âge heureux où l'on ne peut aimer que les gens qui vous font du bien. Je ne veux pas dire qui ne vous font pas souffrir, je veux dire les gens qui respectent votre intégrité. Ça vous arrivera un jour. Excusez-moi, mon verre de cognac est vide. »

Il se leva et elle le suivit vers le salon. Ils s'arrêtèrent sur le seuil. Alan était assis aux pieds de Laura et elle baissait sur lui un regard si tendre et si avide que Josée eut un mouvement de recul. Alan leva les yeux vers eux et adressa à sa femme un clin d'œil complice qui la fit rougir. Elle eut peur un instant que Dort ne l'ait intercepté, mais il traversait la pièce déjà, en direction du bar. De toute manière, elle ne voulait pas être mêlée aux petits jeux d'Alan.

Elle le lui signifia le soir, dans leur chambre, tandis qu'il se promenait de long en large dans la pièce, récapitulant avec une férocité complaisante les manifestations de l'intérêt de Laura.

« Tes distractions me déplaisent. On ne s'amuse pas avec les gens de cette manière, quels qu'ils soient. »

Il s'arrêta de marcher.

« Il semble que tu n'as pas toujours dit ça. Tu venais souvent ici, avant?

– Quelquefois.

– Avec qui?

– Des amis.

– Des ou un?

– J'ai dit « des ».

– Tu ne m'as jamais rien raconté sur cette maison de campagne : Vaux. Je t'ai tiré des récits à la mer, à la montagne, en ville, jamais à la campagne. Alors? »

Elle enfouit la tête sous son oreiller. Quand elle étouffa un peu, elle le souleva avec précaution. Les yeux d'Alan étaient fixés sur elle.

« Ne t'inquiète pas, je le saurai.

– Par Laura?

– Pour qui me prends-tu? Par toi, ma douce, et bientôt. »

Il ne croyait pas si bien dire.

Il y avait quand même quelque chose d'étrange dans la condition de Laura. Sa provocation tenait du défi. Quand Josée était arrivée au petit déjeuner, précédant Alan, Laura l'avait accueillie avec de grands cris de bienvenue avant de se lancer dans le panégyrique d'Alan.

« Il dort encore? Au fond, c'est un enfant, il doit avoir besoin de sommeil. Ce qu'il y a de si charmant dans ces jeunes Américains, c'est qu'on a l'impression qu'ils viennent de naître quand on les rencontre. Vous prenez du café?

– Du thé.

115

– Quand vous avez connu Alan, vous n'avez pas eu cette impression? Qu'il n'avait pas de passé? Qu'il n'y ait pas eu de femmes avant vous dans sa vie?

– Pas exactement, dit Josée à moitié assoupie.

– Le seul ennui, dit Laura sans remarquer l'interruption, c'est qu'ils croient que tout le monde est comme eux. Alors que dans notre vieille Europe... »

Josée n'avait pas écouté la suite. Elle avait levé les yeux un instant puis tendu la main vers un toast. A présent, après la promenade hygiénique du matin pendant laquelle Laura n'avait pas lâché le bras d'Alan, l'entraînant loin devant les invités fourbus par le grand air, elle se les rappelait et cherchait vaguement où elle voulait en venir. Ils profitaient du soleil pour prendre des jus de fruit devant la maison, sur des fauteuils, et Josée pensait à la phrase de Jean-Pierre Dort : « C'est comme les champs, personne ne s'y couche », quand Laura, décidément agitée, se leva.

« Je vous enlève Alan. Je veux lui montrer mon merveilleux grenier avant le déjeuner. »

Elle regardait Josée en disant cela, qui lui sourit en retour.

« Je ne vous propose pas de venir, Josée, vous le connaissez déjà, je crois. »

Josée esquissa un geste. C'était dans ce grenier, il y avait cinq ans de cela, que Laura les avait trouvés, Marc et elle, dans une situation compromettante. A l'époque ils avaient tous beaucoup plaisanté sur ce charmant grenier. Ainsi elle croyait lui faire peur... La colère qui l'envahissait la fit pâlir et le jeune peintre sortit de son mutisme pour lui offrir un porto avec un air de complicité qui l'acheva.

« Vous parlez du grenier où j'ai couché avec Marc? » dit-elle paisiblement.

Il y eut un silence consterné. Josée se tourna vers Alan.

« Je ne sais pas si je t'en ai parlé. Un nommé Marc, quand j'avais vingt ans. Laura te donnera des détails. »

Une jeune femme éclata de rire, sans doute par impossibilité de dire quoi que ce soit et le peintre la suivit.

« Qui n'a pas fait des fredaines dans cette maison! dit-il gaiement. C'est la maison du Bon Dieu.

— L'expression me paraît un peu fausse, dit Laura avec fureur. Quant aux fredaines de Josée, je n'en ai pas le détail, Dieu merci.

— Les fredaines passées de ma femme ne regardent qu'elle », dit Alan tendrement, et il se pencha pour embrasser Josée sur les cheveux.

« Il va me mordre », pensa-t-elle brusquement et, prévoyant toutes les questions, les colères que son éclat allait provoquer, elle ferma les yeux, épuisée d'avance. Elle était trop bête. Alan lui souriait. Il avait l'air si content qu'il devait être vraiment fou ou maniaque. Elle devait le quitter avant qu'il ne soit trop tard et que quelque chose d'affreux ne survienne. Mais elle ne bougea pas de son fauteuil. Au cinéma non plus, elle ne savait pas partir avant la fin.

Il ne fut question que de Marc deux mois. Comment avait-elle connu Marc, en quoi lui avait-il plu, combien de temps? Elle avait beau en faire un accident sans importance, le réduire même à un fantoche, il semblait que cette diminution même surexcitât l'imagination d'Alan. Car enfin, s'il était aussi léger, aussi insignifiant qu'elle le prétendait, il devait y avoir autre chose, autre chose qu'elle ne pouvait pas dire. Elle en venait à provoquer les sorties nocturnes, à les prolonger jusqu'à leur double épuisement, simplement pour retarder le moment où, penché sur elle, il lui dirait : « Je te fais moins plaisir que lui, n'est-ce pas? » Et où viendrait le déluge de questions, toujours précises, parfois crues, qu'elle détestait. Au bout de ces deux mois, elle avait le visage gonflé par l'alcool, les yeux cernés, et elle s'insurgea brusquement. Elle se coucha à dix heures, fit de la culture physique et opposa aux supplications, aux menaces d'Alan, un silence obstiné. Chaque phrase était un piège et elle se surprit à le haïr plusieurs fois.

Laura Dort était devenue une familière. Ils la retrouvaient presque chaque soir, souvent chez elle, car elle donnait des dîners agréables et Alan l'entraînait ensuite dans les boîtes de nuit où l'aube la retrouvait hagarde et ravie, vieillie de dix ans. Elle passait souvent chez eux l'après-midi, se passionnait pour les tableaux d'Alan, disait partout que ce jeune ménage était charmant et qu'elle rajeunissait à son contact. Josée prenait la fuite dès qu'elle arrivait, la laissait déambuler entre le salon et l'atelier où Alan, visiblement ravi d'avoir un public, peignait tout en lui tenant des discours extravagants. A son retour, elle les trouvait effondrés dans des fauteuils, et prenant les premiers drys de la soirée. Depuis qu'elle ne buvait plus, elle avait le plus grand mal à suivre leur conversation. Elle notait seulement, du coin de l'œil, les rides supplémentaires sur le visage de Laura, les bouffissures sous les yeux et la diabolique sollicitude avec laquelle Alan remplissait son verre. Il ne se départait jamais à son égard d'une gentillesse charmante, l'interrogeait sur le moindre détail de sa vie, et dansait avec elle des heures entières. Josée ne voyait pas du tout où il voulait en venir.

En rentrant un peu tard, un soir, elle trouva

119

Bernard, assis avec eux deux. Il revenait d'un long voyage et elle lui sauta au cou mais il garda l'air sombre. Dès que Laura fut partie, il se tourna vers elle.

« A quoi jouez-vous, tous les deux? »

Josée leva les sourcils.

« A quoi nous jouons?

– Oui. Alan et toi. Que voulez-vous à cette pauvre Laura?

– Personnellement, je ne lui veux rien. Demande plutôt à Alan. »

Ce dernier souriait mais Bernard ne se retourna pas vers lui.

« C'est à toi que je le demande. Tu étais bonne dans le temps. Pourquoi acceptes-tu de transformer cette femme en guignol? Tout le monde se moque d'elle. Ne me dis pas que tu l'ignores.

– Je l'ignorais, dit Josée agacée. De toute façon, je n'y suis pour rien.

– Dans la mesure où tu laisses ce petit sadique la détraquer, la soûler et la bercer d'illusions, tu y es pour quelque chose. »

Alan sifflota avec admiration.

« Petit sadique... comme vous y allez...

– Pourquoi laissez-vous croire à Laura que vous l'aimez ou que vous l'aimerez? Pourquoi l'avez-vous mise dans une situation ridicule? De quoi vous vengez-vous sur elle?

– Je ne me venge pas, je m'amuse. »

120

Il avait tiqué. Bernard était furieux. Josée se rappela qu'on avait beaucoup parlé d'une liaison entre lui et Laura, dans les beaux temps de Vaux.

« Vous avez des amusements à votre hauteur. Des amusements de petit mufle trop riche et narcissique. Vous menez une vie imbécile tous les deux, vous par Dieu sait quel complexe assommant, Josée par veulerie, ce qui est pire.

– Tu as des retours agréables, dit Josée. Comment était ton voyage?

– Tu vas te décider quand à quitter ce type? »

Alan se leva, lui envoya un coup de poing et il y eut une bagarre fort maladroite et inesthétique, vu leur inexpérience. Néanmoins ils étaient assez furieux pour que le nez d'Alan se mette à saigner sur un bon coup de coude; et que la table se renverse avec les bouteilles. Le gin inonda la moquette, les verres roulèrent sous les chaises et Josée leur cria de s'arrêter. Ils se regardèrent, décoiffés, ridicules, et Alan sortit son mouchoir pour éponger son nez.

« Asseyons-nous, dit Josée. De quoi parlions-nous?

– Je te demande pardon, dit Bernard. Laura est une vieille amie, même si elle m'agace, et elle a été très généreuse avec beaucoup de gens. Je ne pensais pas avoir un duel pour elle, quand même.

— Je saigne comme un bœuf, dit Alan. Si j'avais su que je devrais me battre avec tous les soupirants de Josée, j'aurais fait un stage chez les marines avant de l'épouser. »

Il se mit à rire.

« Vous avez connu un Marc quelque chose, vous, Bernard?

— Non, dit Bernard fermement. Vous me l'avez déjà demandé. Et ça n'a rien à voir avec Laura.

— Je ne veux aucun mal à Laura. Je n'en veux ni à sa fortune ni à ses charmes. Laura est une artiste, c'est tout. C'est elle d'ailleurs qui va patronner mon exposition.

— Ton exposition?

— Parfaitement. Elle a amené un critique, hier. Il paraît que c'est très bien. J'expose dans un mois. Je pense ainsi échapper à l'inutilité dont m'accable ton ami, chère Josée.

— Quel critique était-ce? dit Josée.

— Un nommé Daumier, je crois.

— C'est un excellent critique, dit Bernard. Je vous félicite. J'espère que vous ne m'en voulez pas. »

Il semblait glacé. Josée, encore ahurie, le raccompagna jusqu'à la porte.

« Qu'en penses-tu?

— La même chose, dit-il avec colère. Il serait

premier ministre, il ne te laisserait pas en paix une seconde. Alors, tu penses : peintre! Je n'aurais jamais dû l'aider à te retrouver.

— Pourquoi dis-tu cela? A cause de Laura?

— Entre autres. Je le croyais un peu fou mais gentil. Il n'est pas gentil et il est complètement fou.

— Tu exagères », dit-elle.

Il était dans le noir, sur le palier, et il la prit par le poignet.

« Il te détruira, je t'assure. Sauve-toi. »

Elle essaya de protester mais il descendait déjà l'escalier. Elle entra pensive dans le salon; Alan vint à sa rencontre, la serra contre lui.

« Quelle histoire... J'ai très mal au nez. Tu contente pour mon exposition? »

Elle passa la soirée à lui mettre des compresses et à faire des plans joyeux avec lui. Il semblait enfantin et désarmé, il semblait qu'il n'ait peint que pour lui faire plaisir. Il s'endormit dans ses bras, et elle resta longtemps, attendrie, à le regarder dormir.

Dans la nuit, elle se réveilla, baignée de sueur. Les paroles de Bernard avaient porté leurs fruits. Elle avait rêvé de Laura, étendue, défigurée, sur la pelouse de Vaux. Et elle avait beau appeler au secours, gémir, les gens passaient près d'elle sans la voir. Josée courait de l'un à l'autre, leur montrait Laura mais ils avaient l'air ennuyé et disaient : « Ce n'est rien,

voyons. » Alan souriait assis dans un fauteuil.
Elle se leva, tituba jusqu'à la salle de bain, but
deux immenses verres d'eau, il lui semblait
qu'elle ne se lasserait jamais de ce contact
glacé et pur coulant dans sa gorge. Alan gémit
un peu et elle lui jeta un coup d'œil. Dans la
tranche de lumière qui venait de la salle de
bain, il semblait à demi mort, renversé sur le
dos, son nez enflé défigurant son beau visage,
et elle sourit. Elle n'avait plus sommeil du tout
et il était cinq heures. Elle attrapa une robe de
chambre et quitta la pièce sur la pointe des
pieds.

Dans le salon, une aube confuse se devinait,
avec des clartés livides, mi-effrayantes, mi-
douces. Elle tira un fauteuil devant la fenêtre,
s'y assit. La rue était déserte, l'air frais. Elle se
souvint brusquement de son voyage retour de
New York. Partie à midi, elle était arrivée six
heures plus tard à Paris, où il était minuit. Elle
avait vu en une période d'une demi-heure le
soleil éblouissant du matin se baisser, devenir
rouge, disparaître tandis que les ombres du
soir semblaient se lancer à l'assaut de l'appa-
reil, défilaient en nuages bleus, mauves et enfin
noirs sous les hublots et d'un coup elle était
rentrée dans la nuit. Elle avait éprouvé un
curieux désir alors, celui de se baigner dans
cette mer de nuages, ce mélange d'air, d'eau et
de vent qu'elle imaginait sur sa peau, léger et

doux, enveloppant comme certains souvenirs d'enfance. Il y avait quelque chose d'incroyable dans ces paysages du ciel, quelque chose qui réduisait votre vie à un rêve idiot « empli de bruit et de fureur », rêve accompli aux dépens de cette sérénité poétique qui comblait les yeux et aurait dû être la vraie vie. Seule, être seule sur une plage, étendue, laissant passer le temps, comme elle l'entendait passer en ce moment dans cette pièce déserte, que l'aube hésitait à découvrir. Echapper à la vie, à ce que les autres appelaient la vie, échapper aux sentiments, à ses propres qualités, à ses propres défauts, être seulement une respiration provisoire sur la millionième partie d'un des milliards de galaxies. Elle s'étira, fit craquer ses bras, s'immobilisa. Combien de fois Alan ou Bernard ou Laura avaient-ils éprouvé ce sentiment incommunicable, combien de fois avaient-ils essayé de le traduire par des mots qui le défiguraient aussitôt? Ces frêles assemblages d'os, de sang et de matière grise qui s'arrachaient entre eux des petites souffrances, des petites joies avant de disparaître... elle sourit. Elle savait bien qu'il ne servirait à rien de confronter les problèmes de leur vie à un infini plus sage. Le jour allait se lever, criard, avide de gestes et de paroles.

« Mes compliments, monsieur. Il y a quelque chose d'autre dans votre peinture, une... »

L'inconnu fit un geste parabolique, chercha son mot, le trouva :

« Une connaissance. Voilà, une nouvelle connaissance. Bravo encore. »

Alan sourit, s'inclina. Il semblait très ému, l'exposition était un grand succès. Menée de main de maître par Laura, la campagne avait été fulgurante. Les journaux parlaient de force, de bizarrerie, de profondeur. Les femmes regardaient Alan. On s'étonnait de n'avoir pas entendu parler plus tôt de ce jeune Américain, venu à Paris chercher l'inspiration. On chuchotait qu'il était arrivé sur un cargo comme soutier. Josée aurait bien ri si Alan n'avait semblé si bouleversé. Ils avaient passé les trois semaines qui les séparaient de l'exposition terrés chez eux. Alan gémissant d'inquiétude, se levant la nuit pour regarder ses toiles et la faisant lever, parlant de ses pinceaux comme de son destin, effrayant même Laura par ses crises de conscience, obligeant Josée à une présence de tous les instants, tantôt mère, tantôt maîtresse, tantôt critique. Mais elle était heureuse. Il s'intéressait à autre chose qu'à lui-même, il parlait avec respect, avec passion de son métier, il créait quelque chose. Brusquement leur vie commune redevenait une chose possible, une vie où il aurait besoin d'elle sans doute mais comme un homme a

126

besoin d'une femme. Il avait à présent autre chose. Aussi regardait-elle d'un œil serein Laura Dort jouer la muse et Alan se redresser peu à peu, devenir désinvolte et légèrement supérieur : elle aimait mieux parler de Van Dyck que de Marc. C'est ce qu'elle murmura à Séverin, vêtu de velours noir, qui se faufilait jusqu'à elle.

« Je te comprends, sourit-il, il m'avait assez abruti de questions. Tu sais que presque tout est vendu?

– Oui. Comment trouves-tu ça?

– Très étonnant. Ça me fait penser à... euh...

– Ne te fatigue pas, dit Josée. Je sais bien que tu n'y comprends rien.

– C'est vrai. On dîne chez Laura, ensuite? Regarde-la, on dirait que c'est elle qui a tout fait.

– Elle est enchantée, dit Josée qui se trouvait des abîmes d'indulgence pour elle. Et effectivement, elle l'a beaucoup aidé.

– On le dit partout, reprit Séverin rapidement. Tu vas avoir droit à des allusions fielleuses.

– J'aime ce genre de rôle, dit Josée en haussant les épaules.

– Tant que tu es tranquille, hein? »

Ils éclatèrent de rire. Alan se retourna vers eux, les sourcils froncés, puis sourit en voyant Séverin.

127

« Vous êtes gentil d'être venu. Qu'en pensez-vous?

— Epatant, dit Séverin.

— Ça semble être l'opinion générale », dit Alan avec un petit rire satisfait et il fit face à un nouvel admirateur.

Séverin toussota, un peu gêné, et Josée rougit.

« S'il se croit Picasso, maintenant...

— Ça vaut mieux comme rôle qu'Othello, ma douce. »

Il l'entraîna. Ils sortirent de l'exposition et s'assirent à une terrasse de café. L'air était doux, le soleil se couchait sur les Invalides et Séverin bavardait. Josée l'écoutait d'une oreille distraite. Elle revoyait le visage crispé d'Alan dix jours avant : « Tu crois que c'est bien, tu crois que ça vaut quelque chose? dis-le-moi, parle. » Et son expression de tout à l'heure. « Ça semble être l'opinion générale. » Il y avait un revirement un peu rapide. Alan était trop intelligent, trop dénué de vanité surtout, en général.

« Tu ne m'écoutes pas, n'est-ce pas?

— Si, Séverin. »

Il frappa la table du poing.

« Non. Depuis ton retour, tu ne m'écoutes pas. Tu n'écoutes personne, tu as toujours l'air aux aguets. Vous êtes comme deux fantômes, tous les deux. Tu le sais?

– Oui.

– C'est le principal. »

Etonnée par sa gravité, elle se tourna vers lui, puis elle eut un sursaut de colère.

« Tu parles comme Bernard. Notre couple vous occupe un peu trop, non?

– Bernard devrait s'occuper de ses affaires comme moi. Mais, comme moi, il t'aime bien. »

D'un geste impulsif, Josée lui prit la main.

« Excuse-moi. Je ne sais plus... où j'en suis. Dis-moi, Séverin, qu'est-ce que tu en penses... est-ce ma faute? »

Il ne demanda pas « de quoi ». Il secoua la tête à droite à gauche.

« Ce n'est pas « ta faute », comme tu dis. Ce n'est jamais la faute de personne, ce genre de choses. Mais si tu veux dire qu'il dépend peut-être de toi de les arranger, je ne crois pas, non plus. Il a bien failli m'avoir, d'ailleurs, au début, avec son air naïf. S'il n'avait pas mis Laura dans cet état-là...

– Mais quel état?

– Folle amoureuse, la voyant tous les jours, la séduisant et ne la touchant pas... Allons. Elle vit entre les somnifères et les dopants. Dort voulait l'emmener en Egypte mais ton mari a dit : « Mon exposition... sans vous? » l'air déchiré. Elle est restée.

– Je ne savais pas.

129

– Tu ne sais rien, toi. Tu as tellement peur d'être coincée dans ces histoires que tu rêves d'autre chose. A quoi d'ailleurs? »

Elle se mit à rire.

« A une plage déserte.

– Naturellement. Dès que tu es fatiguée d'une histoire ou d'un méfait, tu rêves de plages désertes. Tu te souviens de... »

Elle eut un coup d'œil instinctif de côté qui l'égaya.

« Ne t'inquiète pas, il n'est pas là.

– Ce n'est pas une simple histoire, Séverin, c'est mon mari, et il m'aime et j'y tiens.

– Ne deviens pas bourgeoise. Tu as épousé celui-là. Et pas les autres? Et alors? Ne t'en va pas si vite, j'adore quand tu es en colère, mon petit chat... »

Il la suivait dans la rue, elle marchait devant en murmurant les dents serrées : « Je ne suis pas comme ça, je ne suis pas comme ça. » Il finit par l'entendre.

« Bien sûr, tu n'es pas comme ça. Tu es faite pour avoir une vie heureuse, et gaie, et aimer quelqu'un qui ne te tienne pas à la gorge toute la journée. Josée, tu es fâchée? »

Ils arrivaient à la galerie, elle se retourna vers lui et répondit « non » brièvement, les yeux pleins de larmes. Séverin resta interdit sur le seuil.

Josée fendait la foule, en se mordant les

lèvres pour s'arrêter de pleurer. Elle cherchait Alan. « Alan, mon chéri, toi qui m'aimes trop, toi qui es fou, toi qui n'es pas comme les autres, Alan, dis-moi qu'ils ont tort, qu'ils n'y comprennent rien, que ça ne s'arrêtera jamais. » Elle buta presque contre lui alors qu'il serrait la main d'un dernier invité.

« Où étais-tu passée?

— J'ai été prendre une bière avec Séverin, on étouffait.

— Avec Séverin, tiens, tiens. Je l'ai vu, il y a cinq minutes.

— Ce n'est pas possible. Je t'en prie, ne recommence pas. »

Il lui jeta un coup d'œil et se mit à rire.

« Tu as raison. C'est un grand jour. Oublions nos petites manies. Place à la peinture. Place au génie. »

Elle était seule avec lui, à présent. La galerie était vide. Laura leur faisait des signes d'appel, de sa voiture. Alan prit Josée par le bras, l'amena devant un de ses tableaux.

« Tu vois ça? Ça ne vaut rien. Ce n'est pas de la peinture. C'est la mise en couleur d'une petite obsession. Les bons critiques ne s'y sont pas trompés, va. C'est de la mauvaise peinture.

— Pourquoi dis-tu a?

— Parce que c'est vrai... Je l'ai toujours su. Qu'est-ce que tu crois? Que je m'étais pris à ma comédie? Tu me connais si mal?

131

– Pourquoi? »

Elle était atterrée.

« Pour me distraire. Et pour t'occuper, mon chéri. Je regrette, d'ailleurs, que ce ne soit pas vrai. Tu étais sublime, en femme de peintre, les derniers temps. Rassurante... pas enthousias-mée par mes œuvres, non. Mais le cachant bien. Ça m'occupait, c'était toujours ça, hein? »

Elle avait repris son sang-froid. Elle le regar-dait avec curiosité.

« Pourquoi me dis-tu tout ça maintenant?

– Je n'ai pas envie de passer le reste de mes jours à gribouiller cette peinture d'obsédé. Et puis je n'aime pas te mentir », ajouta-t-il avec grâce.

Elle restait immobile devant lui. Elle se rap-pelait confusément les nuits blanches qu'il lui avait fait passer, ses comédies de terreur, son insistance. Elle eut un petit rire sec.

« Tu as un peu chargé ton rôle. Viens, ton mécène t'attend. »

Laura était rouge d'excitation et de bonheur. Elle s'installa entre eux deux dans la voiture, ne s'arrêta pas de parler. De temps en temps, sa main passait sur celle d'Alan, enthousiaste et craintive. Il répondait avec une gaieté naturelle et Josée, entendant leurs rires, apercevant les mouvements convulsifs de cette main, avait envie de mourir.

L'appartement de Laura Dort, rue de Long-champ, était trop grand; trop solennel, un meuble de Boulle succédant à un autre, ce qui fait que personne, du moins au début des soirées, ne savait où poser son verre. Josée le traversa au pas de charge et s'enferma dans une salle de bain où elle répara soigneusement les dégâts causés par ses brèves et brûlantes larmes, une heure plus tôt. En se fixant dans la glace, elle trouva à son visage une expression fiévreuse, altérée, qui lui allait bien, et peu à peu allongea l'arc de ses yeux, l'ovale de son visage, accentua le renflement de sa lèvre inférieure et finit par sourire à l'inconnue plus âgée, dangereuse, qu'elle avait dessinée. Il montait en elle une petite fièvre pas désagréable du tout, une envie de détruire, de scandaliser qu'elle n'avait pas éprouvée depuis Key-West. « Ils commencent à m'agacer, murmura-t-elle, ils commencent à m'agacer sérieusement », « ils » représentent une multitude confuse et mensongère. Elle sortit de la salle de bain, pleine d'entrain ou d'une douce fureur qu'elle ne contrôlait déjà plus. Dans le salon, Laura et Alan, appuyés à un mur, péroraient gaiement. Quelques rescapés de l'exposition étaient déjà arrivés. Josée les ignora délibérément et se servit un immense whisky sur le plateau. Alan l'interpella :

« Je croyais que depuis deux mois, tu ne buvais que de l'eau?

— J'ai soif, répondit-elle, et elle lui décocha un grand sourire qui le déconcerta. Je bois à tes succès, reprit-elle en levant son verre, et à ceux de Laura puisque c'est grâce à elle que tout s'est si bien passé. »

Laura lui rendit un sourire distrait et secoua le bras d'Alan pour se rappeler à son attention. Il hésita un instant, les yeux toujours fixés sur sa femme, mais elle lui fit un grand clin d'œil et lui tourna le dos. Elle parcourut le salon du regard, cherchant une proie, n'importe quel homme beau et placide qui s'occuperait d'elle. Mais le salon était encore presque vide. En désespoir de cause, elle alla s'asseoir près d'Elisabeth G., plus livide que jamais, qui attendait une fois de plus son amant terrible. Elle s'était suicidée encore dix jours auparavant et des bandages douteux entouraient ses poignets.

« Comment allez-vous? » dit Josée.

Elle avala une gorgée de son verre qu'elle trouva infecte.

« Mieux, merci (les suicides d'Elisabeth faisaient partie de la conversation au même titre que les rhumes des autres). Je ne sais pas ce que fait Enrico, il devrait être là. Je suis tellement contente pour Alan, vous savez...

— Merci », dit Josée.

134

Elle la regardait avec chaleur, elle se sentait prête à séduire un tigre.

Sous ce regard bienveillant, Elisabeth s'anima. Elle hésita un instant puis proféra.

« Si Enrico pouvait avoir la moitié même d'un succès comme celui-là! Ça le réconcilierait avec le monde, il serait sauvé. Car il est brouillé avec la terre, vous savez? »

Elle annonçait ça comme la brouille de ses deux femmes de chambre. Josée hocha gravement la tête. Elle se sentait merveilleusement bien. Pourquoi? « Parce que j'agis, je vis uniquement en fonction de moi, je ne me soucie plus des réactions de ce petit faiseur qui est en train de mentir un peu plus, là-bas », et une joie féroce l'envahit. Elisabeth continuait :

« Il me dit : « Si tes bons amis m'aidaient... » Evidemment, mais je ne peux pas obliger Laura à s'occuper de lui. Il croit que mes amis lui en veulent parce que je me plains de lui. Mais je ne me plains pas de lui, jamais. Je le connais. Il est plein de talent, il est torturé par son échec, par l'aveuglement du public qui n'aime que les copies... euh... Je ne parle pas d'Alan, bien entendu.

— Vous pouvez, dit Josée froidement. Personnellement, je n'aime pas sa peinture.

— Vous avez tort, dit Elisabeth faiblement, quoique stupéfaite, il y a quelque chose de... »

Son poignet bandé décrivait une courbe. Josée sourit.

« Quelque chose d'autre, hein? Vous avez peut-être raison. Ne vous suicidez plus, Elisabeth, en tout cas. »

« Je dois être légèrement ivre, pensa-t-elle en s'éloignant, ivre en deux gorgées, c'est incroyable. » Quelqu'un l'attrapa par le bras, c'était Séverin.

« Josée, je voulais m'excuser pour tout à l'heure. Je t'ai fait de la peine? »

Il était penaud et parlait bas, doucement, comme pour ne pas la blesser davantage. Elle secoua la tête.

« Tu m'as brisé le cœur, Séverin. Mais remis la tête d'aplomb. Tu te souviens de ce film avec Bette Davis? Elle donnait une grande party à Hollywood et apprenait juste avant que quelqu'un lui avait soulevé son amant.

– *All about Eve*, dit Séverin étonné.

– Oui. Elle se dirigeait vers ses invités en disant : « Accrochez-vous, ça va barder. » Ça va barder, mon cher Séverin.

– Laura? Alan?

– Mais non. Moi.

– Quel est ce maquillage de vamp? Josée... »

Il la rattrapa au bar. Elle introduisait méticuleusement deux glaçons dans son verre.

« Qu'est-ce que tu vas faire? »

Il était partagé entre le rire et l'effroi. Ce qu'il appelait les réveils de Josée étaient souvent catastrophiques.

« Je vais m'amuser, mon cher Séverin. Ce rôle d'infirmière, boy-scout, et pécheresse à la fois, m'assomme. Je vais m'amuser. Et ici, ce qui n'est pas facile. Je me sens tellement bien que j'en ai mal aux poignets.

— Tu dois faire attention, dit Séverin, ne t'énerve pas pour... »

Mais il s'arrêta. Un homme venait d'entrer dans la pièce, souriant, affable, et Josée se retourna devant l'expression de Séverin.

« Sûrement une idée de Laura, dit-il.

— Ce cher Marc », dit Josée tranquillement et elle vint à sa rencontre.

Il n'avait pas changé. Les traits un peu trop réguliers, une aisance vaguement agaçante, et une bonne humeur mondaine de tous les instants. Il eut une expression de terreur comique en voyant Josée, puis la serra dans ses bras.

« Une revenante!... Veux-tu encore briser ma vie? Bonjour Séverin.

— D'où viens-tu dit celui-ci, l'air morne.

— De Ceylan. Un mois et demi pour le journal. Avant j'ai passé deux mois à New York et six semaines à Londres. Et en rentrant, que vois-je? Josée. Pour une fois, je bénis la vieille Dort de m'avoir invité. Qu'as-tu fait, mon chéri, depuis deux ans?

137

– Je me suis mariée. Si tu n'es pas au courant, la soirée est donnée pour les débuts picturaux de mon époux.

– Mariée? Folle! Voyons, voyons, si je comprends bien – il tira un bristol de sa poche – tu t'appelles Mme Ash?

– Précisément. »

Elle riait. Il n'avait pas changé. Il passait ses jours, jadis, à jouer les reporters débordés et cyniques et ses nuits à lui parler du chef-d'œuvre qu'il mettrait en scène plus tard.

« Mme Ash... Tu es encore mieux qu'avant. Prenons un verre ensemble. Lâche ton peintre et épouse-moi.

– Je vous laisse, dit Séverin, vous avez des souvenirs à évoquer sans moi. »

Effectivement, ils passèrent une heure entre « Tu te rappelles le jour...? » et « Dis-moi qu'est devenu...? », etc. Josée ne pensait pas que cette période de sa vie lui ait laissé tant de souvenirs ni surtout qu'elle aurait tant de plaisir à les évoquer. Elle avait oublié Alan. Il passa près d'eux, lança un « Tu t'amuses? » et un regard faussement distrait à Marc.

« C'est ton mari? demanda ce dernier. Il n'est pas mal. Et en plus, il a du talent.

– Et des flots de dollars, dit Josée en riant.

– Et toi? C'est trop, déclara Marc. Tu es heureuse? »

Elle sourit sans répondre. Par chance, Marc

ne s'arrêtait jamais à une question. Sa vitalité qui le faisait glisser sans cesse d'un sujet à l'autre, d'une attitude à l'autre, en avait fait peu à peu le garçon le plus inconsistant et le plus agréable de Paris. Josée se rappelait à quel point il l'avait excédée les derniers temps de leur brève liaison et s'en étonnait presque, tant elle se sentait bien avec lui en ce moment précis.

« Josée, appelait Laura, venez voir. »

Elle se leva, sentit le plancher se dérober un peu sous ses pieds et sourit. Laura tenait Alan par un bras et un inconnu de l'autre.

« Je suis navrée de vous arracher à Marc, dit-elle et Alan blêmit brusquement, mais Jean Perdet voulait absolument faire votre connaissance. »

Elle se retrouva en train d'échanger quelques banalités sur la peinture avec le nommé Perdet, qui visiblement voulait faire sa connaissance mais pas lui parler, et finit par s'en débarrasser. Alan la rejoignit aussitôt.

« C'est ça, Marc? »

Il parlait entre ses dents. Il avait dû beaucoup boire, un léger tic lui secouait la paupière. Elle le dévisagea. Elle avait envie de lui rire au nez.

« Oui, c'est ça, Marc.

— Il a une tête de garçon coiffeur.

— Il l'avait déjà, à l'époque.

139

– Vous évoquez des souvenirs?

– Mais oui. Tu sais lesquels, non?

– Je suis content que tu fêtes mon succès de cette manière.

– Dis donc? Tu te rappelles ce que tu m'as dit? »

Il l'avait probablement un peu oublié, les compliments et l'alcool aidant. Au fond, il y avait des chances qu'il recommence à peindre. Elle lui tourna le dos. Cette soirée devenait irréelle. « Qu'il barbouille des toiles sans y croire, qu'il pousse Laura au suicide, qu'il fasse ce qu'il veut », pensa-t-elle. Et elle partit se repoudrer.

La salle de bain était occupée et elle décida d'utiliser celle de Laura un peu plus loin. Elle traversa une chambre bleue, capitonnée, où deux pékinois se prélassaient et entra dans la minuscule salle de bain, bleu et or, où Laura devait essayer chaque matin de rajuster ses charmes pour séduire Alan. Cette idée la fit sourire. Dans la glace, elle avait les yeux dilatés, plus clairs que d'habitude. Elle y appuya son front un instant.

« Tu penses? »

La voix de Marc la fit sursauter. Il était appuyé au chambranle, dans une attitude non-chalante que l'on voit parfois aux manne-quins d'*Adam*. Elle se retourna vers lui. Ils se sourirent. Il fut contre elle, d'un pas, et l'embrassa. Elle se débattit un peu et il la lâcha.

« C'était pour te rappeler le bon vieux temps », dit-il d'une voix un peu rauque.

« J'ai envie de lui, pensa-t-elle, je le trouve un peu ridicule, il parle comme un mauvais livre, et j'ai envie de lui. » Il ferma la porte à clef, doucement, et la reprit dans ses bras. Ils luttèrent un instant pour se déshabiller l'un l'autre, glissèrent maladroitement par terre. Il se cogna contre la baignoire et jura. Un robinet était resté ouvert et Josée pensa vaguement à se relever pour le fermer. Mais déjà, il prenait sa main, la pressait contre son ventre et elle se rappela qu'il avait toujours été fier de sa virilité. Néanmoins, il faisait toujours l'amour aussi vite et Josée n'oublia pas un instant le bruit de l'eau dans la cuvette. Il resta effondré sur elle après, respirant fort, et l'exiguïté de l'endroit, le danger, le bruit confus que l'on entendait venir du salon firent que le souvenir de cette étreinte provoqua toujours par la suite chez Josée un trouble plus grand que celui que l'étreinte elle-même lui avait apporté.

« Lève-toi, dit-elle. On va nous chercher. Si Laura... »

Il se leva, lui tendit la main et l'aida à se mettre debout. Ses jambes tremblaient et elle se demanda si c'était de peur. Ils se recoiffèrent en silence.

« Je pourrai te téléphoner? dit-il.

– Bien sûr, demande à Séverin. »

Ils se regardaient dans la glace. Il avait l'air très content de lui. Avec un petit rire, elle l'embrassa sur la joue et sortit la première. Elle savait que derrière elle, il allumait une cigarette, passait une dernière fois la main dans ses cheveux et finalement sortirait avec un air dégagé susceptible de donner des soupçons à l'observateur le moins doué. Mais qui pourrait croire que le jour de l'exposition de son jeune et beau mari, Josée Ash ferait l'amour à moitié habillée dans une salle de bains de cinq mètres carrés avec un vieil ami qu'elle n'aimait pas? Qu'elle n'avait jamais aimé? Même Alan n'y penserait pas.

Elle rentra au salon, prit un jus de fruit et bâilla discrètement. Elle avait sommeil comme chaque fois. Comme chaque fois que l'amour se réduisait à un acte sans lyrisme. Laura papillonnait d'un groupe à l'autre, décrivant un cercle enchanté autour d'Alan, debout, sombre et dépeigné, en face du sieur Perdet, qui bavardait gaiement. Josée se dirigea vers lui mais elle fut devancée par Laura.

« Le héros de la fête est dans tous ses états. Mon petit Alan, vous avez l'air d'un bandit. »

Elle lui rectifia son nœud de cravate et il la laissa faire sans la regarder. C'est à ce moment-là que Josée comprit qu'il était ivre

mort. Laura leva la main pour repousser ses
mèches et brusquement Alan se dégagea, d'un
geste violent.

« Ah! non! Vous m'avez assez tripoté pour
aujourd'hui. »

Il y eut un silence terrible. Laura restait
figée, comme foudroyée, et elle essaya un petit
rire qui ne s'acheva pas. Alan avait baissé les
yeux, l'air boudeur. Josée se sentit avancer vers
lui.

« Je crois qu'il est temps que nous ren-
trions. »

L'humour de sa phrase ne lui apparut que
dans le taxi. Alan avait ouvert la fenêtre et le
vent la décoiffait, la soulageait à la fois.

« Tu n'as pas été très aimable, dit-elle.

— Ce n'est pas parce que j'ai flirté deux fois
avec elle qu'elle doit... » Le reste se perdit dans
un murmure.

Josée se retourna vers lui, incrédule.

« Tu as flirté avec elle? Quand?

— A l'atelier. C'était lancinant à la fin, cette
femme qui s'excitait sur moi. »

« On ne sait jamais rien sur personne, pensa
Josée. Alan troublé par Laura. La caressant
parfois par énervement ou par cruauté, le
sait-il seulement? » Elle lui posa la question.

« Les deux, dit-il. Elle fermait les yeux, elle
soupirait, je m'arrêtais tout de suite, je m'excu-
sais, je parlais de toi, de son mari, la grande

âme, le grand peintre. Josée, quand sortirons-nous de tous ces mensonges, j'étouffe, quand partirons-nous pour Key-West?

— Les mensonges viennent de toi, dit-elle. De toi seul. Tu les aimes trop. »

Elle parlait tristement, doucement, le taxi filait dans les rues grises, les arbres brillaient aux lumières.

« Et ce Marc? dit-il.

— Rien. »

Elle avait parlé sèchement et pour une fois il n'insista pas.

Marc téléphona à onze heures précises le lendemain matin, au seul moment judicieux, Alan étant sous la douche. Josée put ainsi lui donner rendez-vous dans l'après-midi, à l'heure où elle savait Alan occupé par le directeur de la galerie et quelques photographes. En fixant ce rendez-vous, elle n'avait aucun plaisir, simplement la volonté de s'enfoncer dans quelque chose, de détruire une idée d'elle-même qu'elle avait trop longtemps entretenue. Après quoi, Alan sortit de la salle de bains et appela Laura. Il lui déclara froidement que son éclat de la veille avait été inévitable et qu'il pensait qu'elle l'avait compris parfaitement. Il y eut un silence stupéfait dans l'écouteur et Josée qui s'habillait suspendit son geste.

« Josée se doute que nos rapports ont

dépassé un peu le cadre de la simple amitié, reprit Alan en souriant à sa femme. C'est une fille délicieuse mais elle est d'une jalousie morbide. J'ai voulu la rassurer, changer les rôles, lui faire croire que c'était vous qui... enfin qui avez un penchant pour moi. »

Il était assis au bord du lit, enveloppé d'un peignoir rouge. Il ne la quittait pas des yeux. Elle restait interdite, devant lui. Il lui tendit l'écouteur et elle le prit machinalement.

« Je m'en doutais, disait la voix altérée – mais combien soulagée – de Laura. Alan, mon ami, il ne faut pas que quiconque se doute de cette affinité entre vous et moi. Nous n'avons pas le droit de faire souffrir les autres et... »

D'un geste vif, Josée rejeta le récepteur sur le lit. Elle avait honte. Elle regarda Alan qui continuait à parler sur le même ton tendre et respectueux, avec une sorte d'horreur. Il décida Laura à le rejoindre à la galerie dans l'après-midi et raccrocha.

« Bien joué, s'écria-t-il, tu as vu ce retournement?

— Je ne vois vraiment pas à quoi tout ça va te mener, dit Josée en contrôlant sa voix.

— Mais à rien. Pourquoi veux-tu que ça me mène quelque part? C'est notre grande différence, mon chéri. Quand tu te maries, c'est pour avoir des enfants, quand tu parles à un homme qui te plaît, c'est pour aller au lit. Moi,

145

je fais la cour à une femme dont je n'ai pas envie et je peins sans y croire. C'est tout. »

Il cessa brusquement de plaisanter et s'approcha d'elle.

« Je ne vois pas pourquoi dans cette gigantesque farce qu'est une vie d'homme, je ne jouerais pas un peu les miennes. Que vas-tu faire pendant que je parlerai peinture avec ma dulcinée?

— L'amour avec Marc, dit-elle gaiement.

— Méfie-toi, je te fais toujours suivre », dit-il en riant aussi.

Et elle éprouva une curieuse douleur au cœur en se rappelant leur promenade dans Central Park, la première fois, les précautions avec lesquelles elle essayait de le connaître, cet immense capital de tendresse, d'intérêt, de douceur qu'elle avait avancé alors comme n'importe qui, quand on commence d'aimer un être.

Ils déjeunèrent d'huîtres et de fromages dans un bistrot de luxe – Alan ne supportait que les nappes blanches – et se quittèrent à deux heures et demie. « Je suis suivie », pensait Josée, et elle marchait lentement comme pour ne pas fatiguer son suiveur. Peut-être était-il vieux et minable et lassé de son métier, peut-être même s'était-il pris d'une vague affection pour elle au bout de trois mois... Ces choses-là arrivaient-elles? En tout cas, elle l'amenait

146

droit au café où l'attendait Marc. Ce dernier l'accueillit par des cris joyeux et elle le regarda avec stupéfaction. Par quelle aberration l'avait-elle trouvé distrayant la veille? Il pérorait, il sentait la lavande, il disait bonjour à tout le monde. Mais elle n'était venue que pour une seule raison, ou plutôt pour une seule déraison car, même sur ce chapitre, elle préférait mille fois Alan. Elle eut un sourire ou deux un peu appuyés et il se leva aussitôt.

« Tu veux? » dit-il.

Elle hocha la tête affirmativement. Oui, elle voulait. Mais quoi? Se distraire? Donner raison à Alan, se détruire confusément? Déjà, il l'entraînait. Ils montèrent dans une de ces petites voitures pétaradantes qu'affectionnent les reporters et il prit, pour lui faire peur, deux ou trois virages un peu justes. Malgré sa fatuité, il semblait quand même un peu désarçonné.

Les choses se passèrent comme la veille quoique plus confortablement, grâce au lit ostensiblement trop grand qui encombrait le studio de Marc. Après il alluma une cigarette, la lui donna et commença son questionnaire:

« Dis-moi, ton mari? Tu ne l'aimes pas? Ou il n'est pas doué? On dit que les Américains...

— Ne pose pas de questions, dit Josée sèchement.

— Je ne peux quand même pas croire que tu es amoureuse de moi, si? »

Le « si? » était un chef-d'œuvre d'intonation. Josée sourit, s'étira, écrasa sa cigarette dans le cendrier.

« Non, dit-elle. Pas du tout. En ce moment, je saccage. Je saccage même quelque chose auquel j'ai pas mal tenu. »

Elle s'apitoyait.

« Pourquoi? »

Il semblait quand même un peu vexé par l'évidente vérité du « non ».

« Parce que c'est ça ou moi, dit-elle.

— Il le saura?

— Il paie un type qui m'attend en bas. Un détective privé.

— Non? »

Il était visiblement enchanté; il fit un bon jusqu'à la fenêtre, ne vit personne mais prit un air farouche pour l'amuser, puis affolé et brusquement la prit dans ses bras quand elle se mit à rire.

« J'adore quand tu ris.

— Je riais beaucoup, avant?

— Avant quoi? »

Elle faillit dire « avant Alan », puis se retint.

« Avant mon départ pour New York.

— Oui, très souvent. Tu étais très gaie.

— J'avais vingt-deux ans, non, quand je t'ai connu?

— A peu près. Pourquoi?

– J'en ai vingt-sept. Ça change. Je ne ris plus autant. Et puis avant, je buvais pour rejoindre les gens, maintenant je bois pour les oublier. C'est drôle, non?

– Ça n'a pas l'air », grommela-t-il.

Elle passa la main sur la joue de Marc. Il vivait sa petite vie, entre ses reportages et son studio et ses conquêtes faciles, il était brave et bavard, il était un gentil spécimen de l'espèce humaine. Il était simple, ennuyeux et content de lui. Elle soupira.

« Il faut que je rentre.

– Si vraiment tu es suivie, qu'est-ce qui va se passer? »

Il souriait en disant cela et elle fronça les sourcils.

« Tu ne me crois pas?

– Non. Tu as toujours eu des histoires extravagantes à raconter. J'adorais ça. On adorait ça. D'autant plus que tu n'y croyais pas toi-même.

– Si je comprends bien, dit-elle, j'étais gaie et folle.

– Tu l'es restée », commença-t-il mais il s'arrêta.

Ils se regardèrent et, pour la première fois, Marc se demanda si l'ambiguïté d'une situation ne lui échappait pas. Cela le mit de mauvaise humeur et il la reconduisit tambour battant. Devant chez elle, il hésita.

« Demain?

— Je t'appellerai au journal. »

Elle monta l'escalier lentement. Il était sept heures. Alan devait savoir déjà qu'elle était rentrée rue des Petits-Champs à trois heures et demie avec un jeune homme brun et qu'elle n'en était ressortie que deux heures plus tard. Ses mains tremblaient en cherchant sa clef mais elle savait qu'elle devait rentrer, que c'était la seule solution.

Il était là, en effet, allongé sur un divan, un journal du soir à la main. Il lui sourit et tendit la main. Elle s'assit près de lui.

« Tu sais que ça va très mal au Congo? Un avion s'est écrasé à Bruxelles. Les journaux sont funèbres, ces jours-ci.

— Tu as vu Laura? »

Elle goûtait désespérément ces dernières minutes de paix, ce moment où elle pouvait encore lui parler comme à un compagnon, même s'il tremblait de rage, intérieurement.

« Bien sûr, j'ai vu Laura. On dirait une conspiratrice. »

Il semblait très gai. Elle hésita un instant.

« Et tu as eu ton rapport?

— Mon rapport?

— Le détective privé qui me suit. »

Il éclata de rire.

« Penses-tu! Ça n'a pas duré quinze jours. Si

tu avais la moindre inclination, nos bons amis me le feraient savoir. »

Elle fléchit tout d'un coup, s'allongea près de lui, la tête sur son épaule. Une grande douceur l'envahissait. Elle avait le choix, mais déjà elle savait que ce n'était pas vrai et que les larmes qu'elle avait versées à New York sur l'épaule de Bernard, dans un bar climatisé, en pensant à Alan, à elle, à leur échec, correspondaient à une vérité profonde. Plus profonde que l'habitude qu'elle avait de ce corps tranquille près du sien, et de ce bras protecteur sous sa tête. Leur histoire était morte ce jour-là, au moment même où elle comprenait qu'elle ne pouvait pas la raconter à Bernard, ni se la raconter à elle-même, comme une histoire vraie. La vérité de son mariage était trop ténue et trop passionnelle à la fois, elle résidait en des moments de tendresse, de plaisir, et de méchanceté. Ce n'était ni un dialogue ni un partage. Elle soupira. La main d'Alan passait dans ses cheveux, tendrement.

Elle promenait son regard sur les poutres foncées, les murs clairs, les quelques tableaux de la pièce. « Combien de temps aurai-je vécu ici? Cinq mois, six? » et elle ferma les yeux. « Et avec cet homme qui respire tranquillement près de moi, deux ans et demi, trois ans? Que vais-je faire, où vais-je aller et avec qui? » Toutes ces questions lui semblaient pressantes mais absurdes, toutes dépendaient d'une petite phrase qu'elle devait dire, pour commencer, et que tout son corps, tous les muscles de son visage se refusaient à prononcer. « Il faut attendre, pensa-t-elle, parler d'autre chose, respirer, puis je pourrai, facilement, d'un coup. »

« Parle-moi un peu de Marc », dit la voix railleuse d'Alan et il retira sa main des cheveux de Josée.

« J'ai passé l'après-midi avec lui, chez lui, dit-elle.

« Je ne plaisante pas, dit-il.

– Moi non plus. »

Il y eut quelques instants de silence. Puis Josée se mit à parler. Elle racontait tout, minutieusement; comment était l'appartement, comment il l'avait déshabillée, leurs positions, leurs caresses, ce qu'il avait dit en la prenant, une certaine exigence ensuite. Elle employait les mots les plus précis, elle faisait réellement un effort de mémoire. Alan ne bougeait pas. Quand elle eut fini, il eut un curieux soupir.

« Pourquoi me dis-tu tout ça?

– Pour t'éviter de me le demander.

– Tu recommenceras?

– Bien sûr. »

C'était vrai. Et il devait le savoir. Elle tourna la tête vers lui. Il n'avait pas l'air de souffrir, il avait plutôt l'air déçu et cela confirma les pensées de Josée.

152

« Ai-je oublié quelque chose?

— Non, dit-il lentement, il semble que tu aies tout dit, tout ce qui m'intéressait. Tout ce que j'aurais pu imaginer », cria-t-il brusquement en se redressant et pour la première fois sans doute il la regarda avec haine.

Elle ne cilla pas et, soudain, il fut à genoux, secoué de sanglots sans larmes.

« Qu'ai-je fait, murmurait-il, qu'ai-je fait de toi, qu'avons-nous fait? »

Elle ne répondit pas, elle ne bougeait pas; elle écoutait un grand vide s'installer en elle.

« Je voulais tout de toi, dit-il encore, et le pire.

— Je ne pouvais plus », dit-elle simplement, et il releva la tête.

Il fit une dernière tentative.

« C'était une erreur. »

Mais il ne parlait pas de sa journée avec Marc, il parlait de son récit et elle le savait.

« Ce serait pareil chaque fois, dit-elle doucement, le jeu est fini. »

Ils restèrent longtemps ainsi l'un contre l'autre, comme deux lutteurs exténués.

TABLE

Jeunesse dissolue

Dans un mois, dans un an
Françoise Sagan

Alain Maligrasse, éditeur de Saint-Germain-des-Prés, a su s'entourer de jeunes écrivains, d'artistes mondains et agréables. Il s'est montré moins judicieux dans le choix de son épouse, Fanny, jeune femme terne et un peu niaise. Face à la belle Béatrice, jeune comédienne prometteuse, Fanny ne soutient pas la comparaison. Parmi cette petite société cultivée, Alain distingue le jeune Bernard, ancien amant de Béatrice, lui-même enchaîné à une pâle créature. Ivres d'alcool et de plaisirs parisiens, le petit cercle se noie dans des chimères et poursuit inlassablement des rêves inaccessibles, détruisant tout sur leur passage.

(Pocket n° 2195)

Il y a toujours un Pocket à découvrir

Nouvel amour

Aimez-vous Brahms...
Françoise Sagan

Paule se mira dans son miroir et y vit « une autre Paule passionnément préoccupée de sa beauté et passant difficilement du rang de jeune femme au rang de femme jeune ». Paule... décoratrice de mode délaissée par son amant, adorée par un jeune homme de quinze ans son cadet, inquiète, hésitante au seuil d'une nouvelle liaison – amour, passion, toquade ? –, tourmentée par un désir désespéré de bonheur, de jeunesse... Une femme de (presque) quarante ans dont Sagan nous livre ici le portrait tendre, ironique, lucide.

(Pocket n° 4621)

Il y a toujours un Pocket à découvrir

L'intruse

Bonjour tristesse
Françoise Sagan

La villa est magnifique, l'été brûlant, la Méditerranée
toute proche. Cécile a dix-sept ans. Elle ne connaît de
l'amour que des baisers, des rendez-vous, des lassitudes.
Pas pour longtemps. Son père, veuf, est un adepte joyeux
des liaisons passagères et sans importance. Ils s'amusent,
ils n'ont besoin de personne, ils sont heureux. La visite
d'une femme de cœur, intelligente et calme, vient troubler
ce délicieux désordre. Comment écarter la menace ? Dans
la pinède embrasée, un jeu cruel se prépare.

(Pocket n° 3564)

Il y a toujours un Pocket à découvrir

Cet ouvrage a été reproduit
par procédé photomécanique

Imprimé en France par

à Saint-Amand-Montrond (Cher)
en septembre 2010

POCKET - 12, avenue d'Italie - 75627 Paris Cedex 13

N° d'impression : 101299
Dépôt légal : avril 2009
Suite du premier tirage : septembre 2010
S 18999/02